LITERATURA
À
MARGEM

LITERATURA
À
MARGEM

SETE
CONFERÊNCIAS
DE

cristovão
tezza

PORTO ALEGRE • SÃO PAULO
2018

Copyright © 2018 Cristovão Tezza
www.cristovaotezza.com.br

CONSELHO EDITORIAL
Gustavo Faraon e Rodrigo Rosp

CAPA E PROJETO GRÁFICO
Luísa Zardo

PREPARAÇÃO E REVISÃO
Raquel Belisario e Rodrigo Rosp

FOTO DO AUTOR
Guilherme Pupo

Dados Internacionais de Catalogação na Publicação (CIP)

T356l Tezza, Cristovão
    Literatura à margem / Cristovão Tezza. – Porto Alegre : Dublinense, 2018.
    160 p. ; 21 cm.

    ISBN: 978-85-8318-102-6

    1. Ensaios. 2. Teoria Literária. I. Título.

                     CDD 801

Catalogação na fonte: Ginamara de Oliveira Lima (CRB 10/1204)

Todos os direitos desta edição
reservados à Editora Dublinense Ltda.

EDITORIAL
Av. Augusto Meyer, 163 sala 605
Auxiliadora – Porto Alegre – RS
contato@dublinense.com.br

COMERCIAL
(11) 4329-2676
(51) 3024-0787
comercial@dublinense.com.br

sumário

LITERATURA À MARGEM — 7
Conferência de abertura do VII Festival Literário da Mantiqueira, apresentada em 4 de abril de 2014

HISTÓRIA DE ESCRITOR — 27
Conferência apresentada na Academia Brasileira de Letras, no ciclo Vozes da Ficção Contemporânea, em 8 de abril de 2014

A CRIAÇÃO LITERÁRIA — 45
Conferência de abertura do I Colóquio Crítica da Cultura — O Futuro do Presente, na Universidade Federal de São João del-Rey, apresentada em 19 de outubro de 2010

LITERATURA E PSICANÁLISE — 63
Aula inaugural do Instituto de Psicanálise da Sociedade Brasileira de Psicanálise de Ribeirão Preto, em junho de 2009

DESCAMINHOS DA CRIAÇÃO LITERÁRIA — 85
Conferência de abertura do 2º Congresso Letras em Rede, na Universidade Presbiteriana Mackenzie, em 26 de agosto de 2015

LITERATURA E AUTORREPRESENTAÇÃO — 111
Conferência apresentada na Academia Brasileira de Letras, no ciclo Realismo em Questão, em 29 de agosto de 2017

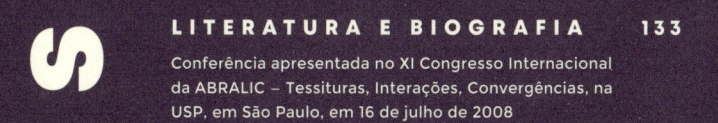

LITERATURA E BIOGRAFIA — 133
Conferência apresentada no XI Congresso Internacional da ABRALIC — Tessituras, Interações, Convergências, na USP, em São Paulo, em 16 de julho de 2008

literatura à margem

Conferência de abertura do VII Festival Literário da Mantiqueira, apresentada em 4 de abril de 2014

Antes de mais nada, gostaria de agradecer o convite, que me honra, para abrir o Festival da Mantiqueira, aqui na simpática São Francisco Xavier, nesta festa literária que já é parte importante do calendário literário nacional. E o tema proposto para este ano, "à margem", abre múltiplas sugestões, desde a margem por escolha, até a margem dos sem escolha. Começo pela ideia da escolha: a sugestão da margem não poderia ser mais adequada para dar conta do espírito da literatura – não só do momento contemporâneo, ou das décadas recentes que formaram a geração atual de escritores brasileiros, mas também porque nesta imagem encontra-se talvez um dos pontos essenciais de quem escreve ficção ou poesia, em qualquer tempo, que é "colocar-se à margem". É verdade que precisamos tomar um certo cuidado com essa ideia, porque ela pode ser confundida simplesmente com alienação, distância, ou mesmo indiferença do escritor aos fatos da vida e do mundo. Abro um parêntese: o escritor, visto pelo leitor, realmente não interessa muito – é o livro, o texto, a linguagem que, às vezes até mesmo à revelia de seu autor, segue uma viagem própria e transforma seus leitores. A perenidade do texto escrito, na perspectiva da História, acaba por tornar os escritores, as breves biografias que deram vida aos livros, quase irrelevantes, ou curiosidades de outras épocas, ou simples elementos de apoio para compreender melhor as circunstâncias culturais de tempos diferentes do nosso.

Mas, sob outra perspectiva, do resultado final ao seu criador, ao lado da ideia de uma literatura como consciência à margem, como olhar único e singular sobre os momentos humanos, singularidade que é a sua razão de ser no mar dos lugares-comuns da linguagem viva, também está necessariamente a presença do escritor, aquele que escolheu o improvável ofício de escrever por conta própria, trabalho que, por princípio, não lhe foi solicitado pela sociedade ou pelo Estado. Eu gosto de brincar com esta imagem: abram-se os cadernos de classificados dos jornais, e nunca se encontrará alguém precisando de um escritor ou de um poeta. Imaginem que maravilha seria ler anúncios assim: "Precisa-se de um romancista. Paga-se bem, assistência médica garantida". Ou: "Contrata-se um poeta em tempo integral. Pagam-se férias e décimo-terceiro". Talvez este: "Urgente: contista para contrato imediato, sem referências". Melhor ainda: "Contrata-se escritor para trabalhar em casa, fixo garantido mais taxa de produtividade".

Isto é, tudo aquilo que é o fundamento da civilização moderna e do Estado do bem-estar social, desgraçadamente não serve para o escritor. A essência do que ele faz não cabe nesta moldura de segurança; os direitos básicos vão todos, inalienáveis, até a pessoa física de quem escreve – um centímetro além, a palavra que ele escolheu escrever, e esses direitos evaporam-se. Ninguém tem a obrigação de nos ler. Quem escreve, escolhe a solidão do risco. Assim, retomando a meada, o escritor também, queira ou não, goste ou não, é uma figura suspensa à margem, no instante em que se decidiu por sua primeira palavra. A literatura nunca é segura, nem inocente.

Talvez eu esteja falando muito pela minha própria geração, os escritores que se educaram, na passagem da adolescência para a vida adulta, nos turbulentos anos 60. Os cinquenta anos do golpe militar de 64, que se rememoram agora, dão uma medida da intensidade política daqueles tempos, mas não era apenas ela que estava em jogo. Naquele momento, para muitos jovens vivendo seu turbulento rito de passagem, em que o pessoal, o existencial e o político se fundiam de uma maneira muito forte, a decisão de escrever, o impulso de se tornar escritor, representava por si só um ato de rebeldia, de negação e de marginalização. Não apenas na literatura: em todas as áreas do que poderíamos chamar genericamente de "ciências humanas", ninguém queria "o que estava aí", e "o que estava aí" era uma nuvem escura, informe, em grande parte indefinível, mas que, pela sua misteriosa opressão, deveria ser dissipada. Naquele mundo (e me refiro ao mundo mesmo, não apenas o quintal brasileiro), diante do inimigo – que poderia ser o general ditador ou a pressão religiosa ou a família tradicional ou o sexo reprimido ou a estupidez do emprego ou a miséria social ou o horror insuperável da convivência humana ou o que quer que assombrasse a alma do escritor –, a palavra-chave era "rompimento". Mais do que uma circunstância política momentânea, diante da ditadura militar que se instaurava, ou das guerras de Estado ou de guerrilha, ou da repressão totalitária do chamado socialismo real, permanecer à margem passava a ser, para o artista da palavra, uma espécie de imperativo ético que o levaria adiante. Estar à margem, portanto, soava como uma qualidade essencialmente positiva.

Vai outro parêntese: se essa era uma qualidade especialmente positiva naquele momento, pelo seu impulso histórico, ou mesmo político, digamos, romântico – tudo favorecia este rompimento –, é verdade também que a essência marginalizadora da literatura vem de muito longe. É possível que vá aqui algum anacronismo, a tendência instintiva a analisar o passado com os parâmetros do presente; mas se entendemos a ideia de "margem" além da realidade frequentemente mesquinha, ou no mínimo chapada e esquemática com que se pensam esquerda e direita hoje, percebemos que não há de fato praticamente nenhum escritor de relevância que de algum modo, no seu tempo, não tenha vivido à margem ou então cultivado um olhar à margem, capaz de ver o que o olhar comum não conseguia ver.

Pois bem, se saímos dos anos 70 na pele daquele pequeno lobo solitário, o escritor, escolhendo a margem para sobreviver, o próprio espaço da literatura brasileira, este trânsito entre autores, livros e leitores que bem ou mal vinha se mantendo vivo na estreita faixa letrada do mundo brasileiro, sofreu um estrangulamento que duraria duas ou três décadas. Voltando o foco dos indivíduos que escrevem para o seu reflexo na sociedade leitora, a literatura que conversava com o país foi saindo discretamente de cena, até quase desaparecer do horizonte.

É preciso cuidado também aqui, neste olhar puramente de fora. Não estou fazendo um índice de valor, e não se pode julgar a força de uma literatura simplesmente pelo seu impacto no público – uma avaliação mecânica assim levaria a distorções tremendas, tirando da necessária margem aquele imperativo ético do valor da diferença. Na verdade, a literatura brasileira do final dos anos 70 até a virada do século 21 passava por um processo transformador de que não temos ainda dimensão exata. Refugiada na universidade por consequência da dura sobrevivência do escritor num Brasil muito maior, em rápida e violenta expansão urbana, a literatura brasileira perdeu seu elo tradicional com os leitores. A margem, sua boa marca de origem, transformou-se num castelo inacessível, que tentava modernizar-se antes pela pauta que pela realização. Sutilmente, o sistema teórico que interpretava a própria história da produção poético-ficcional passou ele mesmo a produzir literatura, como expressão paradoxal de uma utopia da inteligência. O clássico anúncio dos classificados – "contratam-se escritores", da minha metáfora de humor – passava a fazer sentido. O escritor era alguém que saía do chão puxando os próprios cabelos. (Atenção: antes que me acusem de hipocrisia, confesso que eu fui um desses escritores – graças à universidade, este escritor que vos fala sobreviveu com relativo conforto por duas décadas, num tempo em que nenhuma outra opção mais ou menos viável se oferecia a ele. Na prática, a literatura prosseguia sendo entre nós uma atividade essencialmente ornamental, aquilo que se faz nas horas vagas.)

É claro que este longo período em que a academia deu as cartas do ideário literário brasileiro não foi algum perverso fenômeno isolado, destinado a cooptar e a domesticar escritores, mas parte de uma transformação do país que crescia rapidamente sem conseguir dar conta das exigências do próprio crescimento.

Além do mais, há que se considerar o espírito do tempo, os anos em que, depois do vendaval cultural e político do final dos anos 60, em que muitos dos que se imaginavam agentes da história foram de fato as suas vítimas, a inteligência parou para pensar no que de fato havia acontecido – e a arte literária viveu um certo sonho cientificista, em que ciência e arte pareciam ser a mesma coisa, ou pelo menos partilhar a mesma linguagem, irmãs de sangue, e não perspectivas bastante distintas de compreender o mundo. E havia o silêncio sempre sólido e discreto da ditadura. Um silêncio que resultou do Brasil que embarcava no golpe militar em 1964, depois na ditadura explícita em 1968, enfim na barbárie dos anos 70, desembarcando trôpego na década de 90 ainda sem entender direito o que tinha acontecido na longa viagem – e hoje mesmo, cinquenta anos depois, vive-se ainda, em momentos, a sensação angustiante de que não aprendemos nada e não esquecemos nada, um país que patina no seu disco riscado, ainda povoado de fantasmas sem nitidez.

Mas alguns fatos são mais ou menos claros. Um deles foi a violência do processo da urbanização brasileira. Talvez não tenhamos nos dado conta de como este processo modernizante, a absurdamente desplanejada concentração urbana como consequência da modernização de todas as instâncias de produção de riquezas, exacerbou a violência latente do sistema de privilégios sociais e raciais brasileiros que nos marcaram durante da terrível origem escravocrata do país até os nossos dias. Mais uma vez, a percepção da literatura chegava antes: os contos de Rubem Fonseca que explodiram nos anos 70 e 80 pareciam revelar de repente um país espantoso que ninguém estava vendo. As retinas dos leitores ainda assistiam a um filme antigo, e surpreenderam-se com o desconforto brutal das novas imagens, uma brutalidade cotidiana que, dia após dia, não nos abandonaria mais. E outro contista, Dalton Trevisan, prosseguia revelando, como faz até hoje, o universo arcaico de um país primitivo que resiste teimosamente à modernização, em fragmentos de vidas secas no neon de sua Curitiba mítica. Na boa literatura, a margem está sempre no centro do olhar.

Se a rapidez da urbanização foi um dos fatores a considerar na nossa marginalização, outro foi o império da televisão brasileira a partir dos anos 70. De uma forma nítida, a televisão brasileira, depois de seu início errático em meados dos anos 50, fragmentário, amadorístico e mais ou menos irrelevante como meio de comunicação no Brasil, deu um salto de qualidade e se tornou um dos grandes fatores civilizatórios da nova era do país. A implicação política inevitável que se faz ao analisar o poder da televisão nos anos 70, durante a ditadura militar, esquece muitas vezes como ela foi, em contrapartida, um elemento cultural civilizador, abrindo áreas importantes de produção artística, criando e atualizando gêneros, modernizando as linguagens artísticas e profissionalizando os processos de comunicação. (Um parêntese: hoje, por exemplo, a televisão é uma das áreas relevantes de refúgio do escritor, que encontra na produção de roteiros uma frente de trabalho nova, num cruzamento de mundos culturais. O que é outra história.)

Mas eu queria frisar aqui especialmente um traço dominante do formato da televisão clássica: a oralidade. Se nas nações mais plenamente desenvolvidas, como nos Estados Unidos e na Europa em geral, o advento da televisão encontrou um telespectador já letrado, alguém depositário de uma memória cultural escrita, e mesmo especificamente literária, que vinha de muito longe, de séculos atrás, no Brasil o processo foi totalmente distinto. Exceto pela minoria urbana letrada, a faixa cultural de prestígio que, de resto, e para sempre, e quase sempre com carradas de razão, sentiria um profundo desprezo pela televisão, a tevê brasileira encontrou um gigantesco público que, pela primeira vez, via na telinha retangular, primeiro em trêmulo preto e branco cheio de fantasmas, depois na atraente versão colorida, e já numa rede nacional que avançava dia a dia, uma amostra da, digamos, nova civilização. Este telespectador popular típico dos anos 70 e 80 nunca viu nem leu um livro na vida, se é que sabia de fato ler. A sua porta de entrada para o mundo moderno era aquilo que ele via e ouvia à noite diante da tevê.

Antes de lamentar a eventual pobreza do que ele estava vendo, ou a "alienação" inevitável do processo de ver tevê, como diriam os teóricos da época, ou qualquer outro defeito que a televisão teria em si, o grande pecado, o verdadeiro problema, não estava nela. Estava simplesmente no fato de que, para larguíssima margem de brasileiros, não havia acesso real a nenhuma outra alternativa de informação. A palavra escrita, em forma de livro ou mesmo de jornal, estava ausente da vida de milhões de brasileiros. A imensa expansão do ensino básico que começava a ocorrer na década de 70 nem remotamente conseguia dar conta das necessidades culturais daquelas novas gerações. Foi um tempo em que a palavra escrita não tinha nenhum prestígio de fato, exceto na clássica faixa estreita de letrados urbanos privilegiados que, desde sempre, preservava aos trancos e barrancos a imagem da literatura. Na modernização brasileira daqueles anos, no processo civilizatório exigido necessariamente pela expansão urbana, a escola era o parceiro insignificante, irrelevante, capenga, duas ou três horas rarefeitas de esforço diário mal pago e mal planejado, enquanto o mundo real, interessantíssimo, estava lá fora, brilhando na tevê.

Eu fui um escritor formado nos anos 60 e 70, que começou a escrever consistentemente na passagem para os anos 80, e a publicar, de fato, dos anos 90 em diante. E o Brasil que me fez escritor era um país de físico urbano e alma rural, um arquipélago de regiões isoladas sonhando com o Graal do eixo Rio-São Paulo, fora do qual não havia solução. Era um isolamento duplo para os escritores brasileiros – agora pensando o conceito de margem como uma geografia condenatória. Porque a expressão literária do Brasil continuava, como sempre, à margem, periférica, sem nenhuma repercussão notável, ou sistemática, fora do país, além de alguns bolsões acadêmicos de estudantes estrangeiros de literatura brasileira. Assim como, no próprio Brasil, eram os bolsões acadêmicos que ainda garantiam alguma circulação da produção literária daquele tempo.

Em meados dos anos 90, dois fatos começam a mudar substancialmente este panorama. O primeiro nada tem a ver em princípio com literatura, mas sim com o crescimento e a modernização do país – o plano real e a estabilidade da moeda, depois de décadas de hiperinflação e desordem econômica que se refletiam em todos os aspectos da vida brasileira. Até mesmo no pagamento dos direitos autorais dos pobres escritores e escritores pobres – ao chegar o cheque ao bolso do autor, no final do semestre, ou mesmo do trimestre (como hoje é a norma), era melhor começar logo outro livro, que o anterior, que já era pouco, não valia mais nada. (O que, diga-se a verdade, também não fazia diferença, porque ninguém vivia de livros). Nesse quadro, a estabilidade econômica foi um pressuposto fundamental. O outro aspecto profundamente transformador, revolucionário no sentido preciso do termo, foi o advento deste fenômeno que ninguém previa – a internet. Chegamos a ela meio que a duras penas, depois de anos de uma política desastrosa de reserva de mercado que nos deixou na rabeira do desenvolvimento digital e, principalmente, da qualificação digital. No início, um computador era visto por todo mundo apenas como uma máquina de escrever sofisticada. Quando ele enfim entra na rede mundial, correndo atrás da nossa atrasadíssima rede de telefonia, a revolução que se seguiu mudou tudo. Para a margem literária, digamos assim, falando em causa própria, a internet foi uma bênção inestimável.

Aqui vai algum otimismo meu a respeito. Sei que há uma contrapartida apocalíptica sobre os perigos da internet, desde a denúncia de que depois dela ninguém mais sabe escrever e escreve "casa" com "zê", até o fato de que a internet teria aberto perigosamente a porteira da informação, que se transformou num caos sem filtro e sem valores. Mas – tirante o dado óbvio de que a internet é uma realidade irreversível no mundo – eu prefiro observar o seu efeito no Brasil em comparação com a era da televisão, uma era que começa a chegar ao fim, transformada em outro sistema de produção de informação.

Do mundo da oralidade que dominou o Brasil dos anos 70 aos 90, passamos à internet que, entre outras coisas, não abre uma só página em que não haja algo escrito. Em suma, graças à internet, a palavra escrita voltou triunfalmente à vida brasileira. A internet obriga-nos à qualificação da escrita, por bem ou por mal. Ela exige leitura e exige escrita. Milhões de brasileiros que jamais leram ou escreveram nada agora estão todos os dias lendo ou escrevendo alguma coisa. Assim, "voltar à escrita" é uma expressão inadequada – na verdade, nunca tivemos a leitura e a escrita como um fenômeno de massa. O que acontece agora é que a internet – como parte importante de um processo complexo de urbanização e, digamos, se esta palavra faz realmente sentido entre nós, modernização da sociedade brasileira – está trazendo para o mundo da escrita uma população que jamais escreveu nada. Reclamar de "casa" com "zê", nesse panorama, é uma bobagem, diante do tamanho da encrenca, por assim dizer.

    Mais uma vez é preciso um certo cuidado para interpretar esse fato. Muitos apontam que há uma barbárie crescente em curso, visível a quem quer que ligue um computador e entre no "debate" público, a ágora digital dos comentários. Parece que o célebre homem cordial que definia com otimismo o brasileiro transformou-se num monstro agressivo e sanguinário cada vez que tecla uma opinião. Mas acusar a internet deste crime é tapar o sol com a peneira – ela apenas revela, torna nítido e visível, o quanto nos falta. A universalização da internet e das redes digitais apenas trouxe o Brasil real à tona, e o resultado é frequentemente assustador. Tem-se a impressão de que estamos diante de uma civilização em ruínas, assumindo a tendência a sempre se imaginar um passado glorioso que se perdeu, quando na verdade não houve passado glorioso algum, ainda que a cultura pacata de um mundo antigo, economicamente arcaico e estagnado, a infância da nossa vida, dê a impressão de ilhas de felicidade aqui e ali, Itabiras e Pasárgadas míticas que nunca existiram, mas que pareciam reais. A simples evocação do paraíso imaginário parece nos tranquilizar.

    Fixando-se na literatura, entretanto, a internet provocou mudanças logísticas radicais no panorama, num curtíssimo espaço de tempo, e sempre para melhor. Diante da realidade prática atual, do mundo em que circula a literatura, fico pensando nos anos 80 e 90 como décadas de uma era antiquíssima, ainda antes da roda. O trânsito da informação literária, onipresente na rede, a criação de blogues e revistas digitais, o advento e a crescente popularização do livro digital, a troca instantânea de informações, o acesso praticamente infinito às referências bibliográficas, o barateamento das publicações, o imenso potencial publicitário digital que gira em torno do livro – enfim, é fácil demonstrar como a internet abriu caminhos e melhorou intensamente a vida de quem se aventura a escrever; e, ao contrário do que muitos imaginam às vezes por razões opostas, ou fascinados pela teoria da moda, ou pelo olhar apocalíptico dos perigos da modernidade, o autor não está morto nesta nova realidade. Aliás, mais do que nunca é absolutamente necessário que ele de fato exista para marcar a singularidade que dá sentido e razão de ser à literatura. Ao contrário do otimismo da modernidade à manivela dos anos 70 que, repercutindo McLuhan, dizia que o meio é a mensagem, o meio continua sendo apenas um meio; o milagre está em outra parte. Quem sabe, esteja à margem, como sempre.

Naturalmente, a internet é apenas uma das faces das mudanças estruturais do mundo e do Brasil vividas na virada do século 20 para o século 21. Em princípio, assim como a internet descentralizou o universo literário brasileiro, ela tem o potencial de colocar a literatura brasileira no mundo – onde, para ser realista, ainda não existimos; trata-se apenas de um potencial. É verdade que a internet aumentou a capacidade da literatura brasileira absorver a literatura do mundo, quase que instantaneamente, numa escala nunca antes vista – mas o contrário não é verdadeiro.

Sim, há a realidade do nosso destino linguístico, a solidão da língua portuguesa até mesmo na América Hispânica, com quem, misteriosamente, pouco conversamos. Há a barreira sempre muito difícil do mundo da língua inglesa, sem o qual nossa literatura não consegue sair do isolamento, multiplicando exponencialmente opções de acesso. E há de fato – esta a questão central, talvez determinante – um profundo desinteresse do mundo estrangeiro pelo que se produz aqui. Isto é, olhando para o Brasil da Europa, da Ásia, das Américas, de qualquer ponto do mundo, ninguém vê literatura aqui. É verdade que nossa imagem lá fora ainda é bastante positiva, uma imagem simpática, mas talvez pelos motivos errados. Sempre que um estrangeiro ouve a palavra "Brasil", ele imediatamente sorri, imaginando praias, caipirinhas, futebol, carnaval e mulheres. Um país alegre. Ao mesmo tempo, em outra instância de recepção, o país é marcado como expressão da miséria, da pobreza, da corrupção endêmica e das crises políticas. Um país triste. As duas imagens convivem simultâneas, como uma figura holográfica que passa de uma coisa a outra com um piscar de olhos, dois países antípodas ocupando o mesmo espaço. Em qualquer caso, em pouquíssimas vezes a ideia de "Brasil" lembra ao estrangeiro um livro, um autor, uma presença literária qualquer que nos identifique. O que é terrível, porque nada define mais densamente, e de forma mais duradoura e consistente, a imagem de uma cultura do que sua produção literária. A literatura diz, afirma, compara, reflete, pensa e revela o país e seus habitantes de uma forma simbólica, altamente diversificada, que nenhuma outra linguagem alcança. Por ser fruto de uma percepção solitária, intuitiva e não pragmática da realidade, ela mente menos e deixa sinais poderosos. São referências inescapáveis, mesmo quando, ao longo da história e de suas injustiças brutais, precisam ser revisitadas, revistas, combatidas ou transformadas.

Olhando para trás: imaginemos um Brasil sem o sargento de milícias ou Iracema; sem as memórias de Brás Cubas, ou sem Policarpo Quaresma, ou Macunaíma, ou sem *São Bernardo*; ou ainda sem o *Poema de Sete Faces*, ou a pedra no caminho, sem Cruz e Souza, sem o Sítio do Picapau Amarelo, sem Quincas Berro d'Água, sem *O tempo e o vento*, sem o espelho de Pasárgada, sem Macabéa, sem o vampiro de Curitiba, sem Paulo Honório ou o Grande Sertão, ou mesmo sem *Os sertões*, que fundem ficção e história – seríamos pouco mais que nada, algumas fazendas, algumas cidades foscas, como que um espaço vazio sem habitantes. É sempre a literatura que de fato, na faixa estreitíssima em que a palavra escrita conseguiu ocupar seu espaço civilizador, vem tentando nos dizer quem somos, em suas mensagens cifradas, às vezes interessadas, sempre contraditórias, à margem, que atravessam gerações. A história brasileira tem a marca de uma profunda segregação cultural e educacional, em função direta da nossa trágica tradição escravocrata, que ainda hoje se reflete em praticamente todos os aspectos da vida cotidiana, mas isso não implica uma condenação eterna, e a literatura, como sempre, permanece sendo um espaço fundamental de expressão da diferença.

Voltando ao fio e ao chão: a internet deu um salto no processo de renascimento da literatura brasileira (renascimento no sentido simplesmente visível da palavra, já que nunca paramos de escrever), mas ela por si só não faria milagres. Há dois outros fatores correlatos que na minha opinião foram fundamentais nas últimas duas décadas, e aqui faço uma referência puramente informativa a partir da observação e da experiência pessoal. Primeiro, através de mecanismos como a Lei Rouanet, mais a vontade política de fundações culturais e instituições municipais e estaduais de muitas regiões brasileiras, o Estado brasileiro interferiu diretamente no estímulo aos eventos culturais, com efeitos concretos bastante visíveis. Especificamente no caso da literatura (ainda que ela seja com certeza a prima pobre do sistema de renúncia fiscal), esse conjunto de iniciativas vem sendo um fator extraordinário de divulgação e realização. Esta Festa da Mantiqueira é um dos exemplos bem-sucedidos. Toda semana, todo mês, há um evento literário acontecendo em algum lugar do Brasil. Se eu lembro dos meus tristes anos 80, quando não havia nada de nada em lugar algum, a comparação chega a ser humilhante. E, naturalmente, esta explosão aconteceu também pelo relativo aumento da base de leitores no país, ainda que a realidade do nosso ensino, principalmente do nosso ensino fundamental e médio, da quarta série em diante, um período que representa uma espécie de alçapão onde derrapam milhões de jovens brasileiros, seja desgraçadamente pobre. E é o ensino do jovem adolescente que, realmente, pode criar com consistência o futuro leitor. Penso que o leitor duradouro se faz, de fato, na adolescência, na passagem para a vida adulta.

Além disso, surgiu na última década uma profusão de prêmios literários, de valor não mais apenas simbólico, como era a regra a partir do mais célebre deles, o Prêmio Jabuti, prêmios que têm movimentado a vida literária brasileira de uma forma visível todos os anos, provocando, ainda que pontualmente, bons debates sobre a produção contemporânea. É claro que prêmios não fazem literatura, e qualquer escritor sério sabe que não são decisões divinas; mas são retratos significativos de momentos literários que acabam repercutindo positivamente a produção literária brasileira.

Finalmente, há uma nova geração de autores, hoje na faixa dos trinta ou quarenta anos – que são verdadeiras crianças na perspectiva desta arte em que muitos senhores, como este que vos fala, tradicionalmente começamos a aparecer –, uma geração que se formou sob referências bastante distintas daquelas que dominaram os anos 70 e 80. Primeiro, porque esta nova geração (espero que o que digo aqui não seja mais uma esperança que uma realidade) não vive mais esmagada pela memória polarizada daqueles tempos, clivada por utopias e visões do apocalipse; segundo, porque se fez e se criou mais ou menos à margem da universidade, sob a sombra de uma cultura digital intensamente urbana, tendendo ao cosmopolitismo, valores que, nos meus velhos tempos de formação, eram muitas vezes percebidos com uma estranha desconfiança. O que era um traço do tempo: houve até uma inacreditável passeata contra a guitarra elétrica, assim como mais tarde desconfiaríamos dos computadores, e hoje temos medo da internet. Esta nova geração vem colocando outras questões na mesa, que parecem apontar justamente para o lado contrário, a internacionalização da literatura brasileira.

O que é uma pedra imensa no caminho. Para lembrar nomes enraizados, pela linguagem, importância, filiação ou temas, numa tradição literária brasileira específica, o último nome de peso internacional foi sem dúvida Jorge Amado, criador e criatura de um imaginário fortíssimo que ainda hoje ressoa lá fora.[1] Um imaginário que, curiosamente, hoje nos parece incômodo, um Brasil sensual, otimista, pagão, alegre, malandro e sincero; um Brasil que o Brasil parece não querer mais abraçar, como quem se escolhe súbito órfão de si mesmo, à sombra de um tempo novo. Depois de Jorge Amado, desaparecemos culturalmente do mapa mundial, para falar com simplicidade. País periférico, nossa literatura pipoca aqui e ali, em bol-

---

[1] Há o caso de Paulo Coelho, um best-seller mundial de um autor que é filho da cultura contestatória dos anos 60. Mas é preciso lembrar que, sem entrar no mérito estético, seus livros, pela linguagem e pelos temas, não fazem parte de uma tradição literária brasileira no sentido clássico. Sua obra é antes um fenômeno da cultura global, de raiz mística, religiosa e moralizante, que marcou a entrada do século 21, que expressão de um momento literário brasileiro do seu tempo.

sões acadêmicos e edições avulsas – também essas graças a intervenções pontuais de Estado, como o patrocínio de eventos no exterior pelo Ministério da Cultura, e de forma mais fragmentária pelo Itamaraty. Há também o importante programa de apoio às traduções, via Biblioteca Nacional, que, repetindo um modelo adotado por outros países, vem apoiando edições de livros brasileiros eventualmente contratados por editoras estrangeiras. Essas iniciativas, entretanto, ainda não conseguiram criar uma presença maior que de alguma forma mais complexa nos revele pela literatura. O que, para ser novamente realista, não é de estranhar – a literatura brasileira perdeu nas últimas décadas o seu próprio leitor brasileiro, bastando para isso acompanhar as tradicionais listas dos mais vendidos.

Talvez não devêssemos nos preocupar com isso, como quem faz do isolamento orgulhoso o seu mantra. Fazer da margem nossa força: curiosamente, esta foi uma ideia que me moveu quando jovem, quando comecei a escrever, mas logo percebi que a literatura é, de fato, um empreendimento necessariamente universalizante. Um leitor é antes de tudo um cidadão do mundo; e o conceito moderno de literatura mantém, mesmo que às vezes a contragosto, uma sombra esclarecida de Iluminismo; sustenta sempre o conceito, ou pelo menos o desejo, de um homem universal, uma condição que nos coloque além do limite das circunstâncias. A nossa condição humana é sempre potencialmente intercambiável, por maiores e mais terríveis que sejam as contingências históricas; abdicar deste princípio seria o último niilismo, a partir do qual nenhum caminho comum nos restará. Um poema, um romance, um conto, ao mesmo tempo que realizam pela linguagem a afirmação do espaço particular e único em que nasceram, são vozes que, quando viajam, aspiram por se tornar pontos internacionais de encontro; querem sempre conversar com outras línguas e culturas. A literatura brasileira não pode desistir desta ponte com o mundo e com as profundas diferenças do próprio país em que se move.

Nascida sempre à margem, produzida pelo isolamento do olhar, a literatura contemporânea, paradoxalmente, abomina o isolamento. Escreveu-se muito em séculos passados em defesa da guerra, de nações excludentes, de etnias vitoriosas, de supostas raças superiores, de povos poderosos, de heróis positivamente homicidas, que conquistavam a Terra e os inimigos e cantavam suas glórias. De fato, não houve povo escritor que em algum momento não fizesse isso. Mas o que foi um valor maravilhoso e poético na infância do mundo não encontra mais lugar na linguagem, exceto se mergulhamos numa profunda regressão obscurantista, que, de qualquer forma, está sempre à espreita. A História não é garantia de nada; estamos sempre recomeçando. Pois a literatura nos tira da tábula rasa e oferece-nos a prospecção do passado e a experiência do presente, na comunhão solitária entre autor e leitor. É uma boa vacina contra o isolamento, ainda que seja quase sempre fruto do sentimento de solidão. Um pé na margem, outro no mundo – assim escrevemos.

Talvez eu tenha me perdido um pouco, pelo peso da ideia de conferência, que nos coloca, neste púlpito, digamos assim, num papel quase que antiliterário – bem, como às vezes acontece, comecei uma conferência e acabei em literatura. Literatura que terá, com certeza, mais um belo momento neste ponto de encontro da Mantiqueira, que eu tenho o privilégio de abrir.

Muito obrigado.

história de escritor

Conferência apresentada na Academia Brasileira de Letras no ciclo Vozes da Ficção Contemporânea, em 8 de abril de 2014

Gostaria de agradecer este convite, que me honra, para falar na Academia Brasileira de Letras. E o tema proposto é a minha própria obra, um assunto que, por este sentimento ambíguo que costumo reservar a mim mesmo, parece-me muito difícil. Sempre entendi que, ao contrário da lenda, escritores são pessoas que não sabem o que fazem, e nem mesmo por que o fazem. Apenas começam a escrever, a escrita avança sobre eles e, de um momento em diante, eles já se veem enredados para sempre. As exceções – alguém que abandona a viagem depois de boa parte realizada e desiste de escrever – são raríssimas e mereceriam um estudo à parte. Escrever é uma armadilha silenciosa que acaba por nos conduzir a uma espécie letrada de Síndrome de Estocolmo – acabamos apaixonados pelo sequestrador de que somos vítimas.

Mas de alguns anos para cá, justamente quando, depois de um relativo limbo de duas décadas, discretamente exilado em Curitiba e vivendo uma vida pacata de mestre-escola na Universidade Federal do Paraná, ainda num tempo pré-digital, hoje quase tão antigo quanto a era pré-histórica, começou a me bater o desejo de me entender um pouco melhor como escritor. Isso porque, de meados dos anos 90 em diante, passei de fato a ter uma vida pública de escritor: comecei a receber convites para falar, dar entrevistas, viajar para participar de eventos literários no Brasil e no exterior e até mesmo me aconteceu de ganhar alguns bons prêmios depois de vinte anos de publicações – enfim, o escritor saía à luz do sol, o que estimulou minha vaidade secreta, reprimida por muito tempo.

Pois bem, quem fala, inventa – e pouco a pouco, de tanto me esforçar para responder corretamente aos entrevistadores e achar explicações para os meus livros, procurar minhas motivações, esmiuçar minha biografia e minhas preferências, acabei, primeiro inadvertidamente, depois sob um certo espírito romanesco, por criar meu próprio passado. Naturalmente, toda invenção tem um fundo de verdade, e lidar com a memória pessoal, com os fatos da própria vida e suas raízes ocultas, é um trabalho arqueológico que, como na melhor ciência, precisa de hipóteses, precisa de pelo menos um esboço de teoria que dê algum sentido aos cacos de lembranças que temos atrás de nós.

Para entender minhas motivações, comecei do início e fui buscar o primeiro fato concreto, este sim, fruto absoluto do acaso, o primeiro lance de dados: ter nascido em 1952, no sul do Brasil, numa cidade pequena, mas promissora para os padrões daquele tempo, Lages, na serra catarinense. Sou filho de pais professores, com um eco inteiro italiano de um lado e uma mistura brasileira de outro, caçula de uma família de quatro irmãos. Em casa havia um fogão a lenha, que, criança, vi se transformar num fogão a gás; e assisti à chegada da primeira geladeira, *Frigidaire*, com um belo pinguim de adorno, e até mesmo testemunhei embasbacado desembarcar em casa um toca-discos, num móvel elegante com pés de palito, então chamado de "eletrola", e mais alguns discos de vinil de amostra, que eu ouvi milhares de vezes. Lembro especialmente de dois: uma seleção de Pérez Prado e uma coletânea de Altemar Dutra.

Este pequeno ponto de partida existencial, revelador de um momento de transformação de boa parte da vida brasileira que minha família acompanhava em meados daqueles anos 50, já permite alguns caminhos, mas impede outros – mais ou menos como a primeira página escrita, que, sendo inteiramente livre na primeira linha sobre a página em branco, vê-se enredada num destino de que não poderá mais escapar poucas sentenças adiante. A primeira hipótese para me entender é, digamos, histórico-social. Filho de pais que penaram para sobreviver, na dureza dos anos 30 e 40 – a mãe, normalista; e meu pai, no meio de doze irmãos, saiu da roça já adolescente, aprendeu a ler tardiamente, no Exército, até conseguir concluir seu curso de advocacia, que passou a exercer em Lages, ao lado do magistério –, eu já representava a nova geração de um país que pouco a pouco se industrializava e rapidamente se urbanizava, expandindo também rapidamente sua classe média, num processo que continua vivo e intenso até hoje, como círculos periféricos que vão se integrando à máquina do Brasil. Um país que, ano a ano, sem interrupções, foi passando da vida rural para a vida urbana, esta dura e desejada viagem sem volta, ainda que o resíduo atávico do mato, esta secreta nostalgia, nunca nos abandone.

Nesse quadro, fui uma criança bem tratada – claro que aos modos um tanto rudes e politicamente incorretos dos anos 50, levando cascudos, chamando pai e mãe de senhor e senhora, praticando a obediência oprimida do sistema patriarcal e frequentando missa aos domingos. Enquanto isso, absorvia valores da nova civilização urbana que a geladeira e a eletrola anunciavam, de modo que eu já marcava o surgimento de uma outra "geração" de brasileiros, esta palavra que às vezes usamos sem muita nitidez. No caso dos anos 50, entretanto, gestava-se de fato um novo quadro mental que acabaria por pôr em xeque justamente os seus parteiros. A diferença, aqui, é que aquilo que significava muito para os nossos pais, a relativa prosperidade, o relativo enriquecimento da ainda tímida classe média emergente, bastante otimista, vivendo um período tranquilo de pós-guerra, passaria logo a representar muito pouco para os jovens exigentes – ou mal-agradecidos, de acordo com o ponto de vista – que começavam a ficar adultos nos turbulentos anos 60.

Assim, dos meus quatorze aos dezoito anos, quando todos fazemos escolhas mais ou menos intuitivas, problemáticas e angustiadas para decidir enfim o que somos, o que queremos e o que devemos ser, coincidiram exatamente com os anos em que o mundo começaria uma guinada radical, cujos reflexos sentimos até hoje. E, no Brasil, a instauração da ditadura militar marcaria profundamente a história brasileira contemporânea, num processo difuso que respinga até nossos dias. O espírito do tempo era de revolta total e generalizada, que ia dos cabelos compridos à recusa da Igreja, da luta pelo sexo livre e pela derrubada do governo, do culto da liberdade do indivíduo à implosão da família nuclear, da independência feminina ao direito às drogas. Por algumas razões um tanto aleatórias, eu acabei por me tornar antes um ativista deste espírito do tempo que propriamente seu espectador mais ou menos simpático, o que costuma ser a norma nos lentos processos de mudança cultural, quando o que parece brutal e chocante num primeiro momento pouco a pouco vai sendo assimilado na ordem das coisas.

Pois bem, minha ideia de literatura, de ser escritor, desde o início absorveu essa atmosfera transformadora. Por algumas circunstâncias especiais – por exemplo, a participação, já aos dezesseis anos, em um projeto de teatro comunitário –, vivi de forma intensa a ideia de que fazer arte em geral, ou especificamente ser escritor, significava assumir um comportamento existencial, mais do que simplesmente produzir textos. Vida e arte eram sentidos como processos inseparáveis naqueles tempos; e, por fidelidade à revolta, havia um culto deliberado do desajuste pessoal, social e político, como um valor ético a ser seguido. No agitado caldeirão dos anos 60, a simples ideia de um homem "integrado" à sociedade soava estranhamente como uma espécie de traição da condição humana. Ou seja – foi um momento de raiz romântica, como em tantos outros sopros históricos, que encontrou naquelas circunstâncias a oportunidade de emergir, respirar e agir.

Nesse caldo contraditório do tempo – prosseguindo na hipótese de que o quadro histórico-social é determinante dos rumos da nossa vida –, misturavam-se universos distintos, em que o desejo de universalidade, de fazer parte de uma nova comunidade mundial, chocava-se com a realidade tacanha de um mundo arcaico, que afinal continua arrastando o Brasil. Vivia-se um desejo renovado de espírito internacional. O brasileiríssimo rangido do carro de boi misturava-se às baladas dos Beatles. E, no espectro político, havia curiosos sinais invertidos – enquanto no então chamado Segundo Mundo, nos países sob a esfera do poder soviético, sonhava-se com uma calça jeans e com a liberdade americana, o Terceiro, sob a esfera do capitalismo ainda mais ou menos imperial, sonhava, na hipótese boa e jamais cumprida, com algum centralismo científico que instaurasse o Estado perfeito sobre a Terra. E, no Brasil, aconteciam paradoxos engraçados, como uma passeata de violeiros contra a guitarra elétrica, em 1967, liderada por Elis Regina e com a improvável participação de Gilberto Gil, em defesa da "brasilidade".

A ser correta esta perspectiva, o escritor seria fruto histórico do seu tempo e a ele responderia – mais, *deveria* responder, diretamente, numa mecânica irresistível, queiramos ou não. Uma explicação, aliás, que estava em voga naqueles tempos. Muitos faziam de si mesmos exemplos de sua própria tese, forçando os fatos a concordar com as ideias, e, nos casos mais trágicos, imolando-se ao projeto existencial e recusando-se a mudá-lo. Visto daqui, parece loucura, mas algum resíduo desta visão de mundo permaneceu no meu espírito de escritor, que se misturava com outros ideários, mais vagos e poéticos talvez, e todos mais ou menos incompatíveis entre si. Mas, se fosse para fazer uma síntese, como adolescente e candidato a escritor, vivi sob o empuxo destas duas forças – a claramente política, que eu absorvia por influência dos irmãos e suas turmas de estudantes, pelas notícias de jornais, pelas leituras panfletárias, pelas greves, pela agitação no ar, pelo imperativo social, pela pauta daqueles anos 60 que até hoje misteriosamente ainda não exorcizamos, e, quase ao mesmo tempo, fazendo algumas escolhas intuitivas, a força estética, que era também difusamente filosófica, na esfera do imperativo individual: o culto do lobo solitário, por assim dizer, com as obras de Nietzsche e Hermann Hesse debaixo do braço, também marcas do tempo.

Bem, vendo-as no conforto da distância, essas forças determinantes explicam tudo, mas não explicam nada. São, de fato, apenas um pano de fundo, mas que deixou marcas. Relendo alguns livros que escrevi nos anos 80 e 90, sinto que este choque temático repercutiu no escritor. Em *Uma noite em Curitiba*, por exemplo, o professor Rennon e o seu filho se batem exatamente nestes valores do tempo. Ou em *Ensaio da Paixão*, um livro que mergulha inteiramente neste clima, até pela opção do realismo fantástico que então fazia a cabeça da consciência literária latino-americana. Ou na narrativa de *O fantasma da infância*, em que um anônimo lobo solitário compõe a ficção de seu duplo social.

Bem, mas há um outro modo talvez muito mais atraente de refazer o passado do escritor além de lhe desenhar uma moldura social; na verdade, pode até incluí-la, mas deixando-a em segundo plano. É a perspectiva psicanalítica, talvez a mais literária de todas. Não por acaso, Freud foi indicado ao prêmio Nobel de literatura, mas não ao de medicina. É uma perspectiva que nos arranca do conforto de alguém apenas vendo de fora uma paisagem explicativa, e nos coloca de fato dentro dela; somos, enfim, parte do problema, e não apenas vítimas dele.

Em 1959, antes dos sete anos de idade, eu era uma criança tranquila e feliz, tanto quanto crianças podem ser tranquilas e felizes, esses dois sonhos adultos, e levava uma vida estável numa cidade pacata, com a família prosperando. Eu lia histórias do Pato Donald, aquele ser profundamente desajustado, aliás, como todos os heróis das histórias dos quadrinhos de Walt Disney (nenhum deles tem pai nem mãe, apenas tios), mas na verdade eu seria, por comparação e antecipação, muito mais um habitante do mundo pacífico e integrado de Cebolinha, que só surgiria anos depois. E então meu pai morreu, de um acidente estúpido, como costumam ser os acidentes. Sinal dos tempos e da era JK, a lambreta reluzente que ele comprou para ir dar aulas motorizado todos os dias acabou por matá-lo.

A minha vida mudou instantaneamente; e dois anos depois minha mãe tomou a iniciativa de levar a família para Curitiba, que se tornaria a minha cidade até hoje. Ao choque do luto da perda do pai somou-se uma queda do padrão de vida, acrescentando-se ainda a insegurança de uma cidade grande (para os padrões da criança), mais a solidão urbana de um apartamento, um espaço limitado que eu desconhecia. Além das dificuldades da sobrevivência, a atmosfera curitibana, que então me parecia sombria, pouco amigável, era em tudo o contrário do que eu até então vivera. Foram dois ou três anos traumáticos para mim.

O que me leva à primeira conclusão sobre a verdadeira origem do escritor: a infelicidade. A infelicidade produz literatura. Pessoas felizes, eu gosto de brincar com esta imagem, não escrevem. Os felizes vão à praia, namoram sem conflito, assistem televisão, viajam com alegria, sofrem aqui e ali com parcimônia e compreensão, curtem as delícias da família, respeitam a realidade e os fatos – por que diabos iriam se trancar num quarto para escrever? Por que ficariam horas e horas e horas debruçados na insegurança absurda de um texto que ninguém pediu que escrevessem e que os outros só vão chegar a ler num acaso improvável que levará anos para se concretizar, isso se alguma vez de fato se concretizar?

Já os infelizes justificam esta tarefa sem sentido com engenhosos argumentos metafísicos, do tipo "há uma fissura na minha vida", ou "o mundo é injusto, preciso corrigi-lo", ou "a vida não tem sentido; só a literatura pode retificá-la", ou qualquer filosofada do gênero, cada uma delas, reconheço, com alguma pitada de razão, mas que, quando ditas em voz alta soam mais como um álibi mal enjambrado, uma desculpa esfarrapada. Aqui não há resposta certa, reconheço. Mas arrisco dizer que talvez a mistura de vaidade com infelicidade, e algum sopro sutil de ressentimento, seja uma química mais determinante que o resto. Nunca se sabe, e cada caso é um caso, mas como todo bom narrador deve ter um toque cruel, eu diria que algo do autor, nem sempre recomendável, certamente deixa-se entrever neste processo.

Voltando ao fio biográfico: comigo, a morte do pai significou uma espécie de expulsão do Paraíso, que foi se assimilando na adolescência pelo clima geral de revolta e ânsia de transformação que se via em toda parte. Bem, nascia o escritor antes mesmo de escrever – bastou me cair à mão um exemplar de Monteiro Lobato, *A chave do tamanho*, para eu achar que ali estava o meu futuro: contar histórias. A solidão curitibana encontrou o mundo dos livros – que, na infância lagiana, ainda não era o meu –, um mundo que em poucos anos se transformou numa espécie de vereda de salvação da minha vida, num pacote que incluía, entre outras coisas, o desejo de fugir da família, do Estado, do sistema de sobrevivência, de qualquer governo, e me tornar enfim o orgulhoso imperador de mim mesmo, o sonho de todo adolescente. Empurrei adiante este projeto enquanto pude, até que, como diria John Lennon, o sonho acabou.

O pacote da formação deste escritor está aqui quase completo: o conturbado ambiente social, familiar e político de um momento histórico muito especial da história do país e do mundo, os anos 60, somando-se com o sentimento ainda mal formulado de infelicidade pessoal, de raiz psicanalítica, do filho sem pai. Mas falta um elemento essencial, um tanto difícil de definir, que é a constituição da linguagem própria, a dura construção do narrador – aquilo que se chama vagamente de "domínio técnico da linguagem", sem o qual não há boa intenção, visão de mundo ou ótima biografia capaz de compensar; sem o qual, enfim, não há escritor.

Para entender a conquista desta linguagem pessoal há sempre o perigo de se cair num cipoal de sofismas, como a falsa dualidade entre o dom e a técnica; alguns nasceriam já com o DNA da literatura, os talentos inatos, absurdos, Mozarts da poesia e do romance, assombrando o mundo aos dez ou vinte anos de olhos fechados, a pena avançando sem força sobre o papel e deixando ali um rastro de obras-primas; outros seriam operários suados que passam a vida a lapidar as frases no terrível esforço de serrotes e lâminas de fio gasto, raspando o toco magro e duro das ideias. Nesta dualidade romântica descansa a ideia da literatura como atividade ornamental e, de certa forma, o velho culto oculto do desprezo ao trabalho, sustentando a lenda do talento por geração espontânea. Neste aspecto, vejo a mim mesmo muito mais como o operário tirando leite de pedra do seu desejo de ser escritor, um escritor que custou muito a ficar em pé. Ainda que contasse, como milhões de cidadãos, com algum talento verbal, talvez o único pressuposto, ou o pressuposto genérico, difuso, difícil de definir, de quem queira escrever. Nem é preciso dizer que este fugaz "talento verbal" não é garantia estética de nada.

Como o escritor nasce do leitor, lembro de algumas das minhas fontes primeiras, no apartamento traumático de Curitiba, e três autores foram marcantes neste primeiro instante: Monteiro Lobato, Julio Verne e Conan Doyle. Se fosse para tirar alguma lógica desta paixão inicial de leitor, talvez estivesse exatamente na "lógica". Trata-se de três autores de raiz iluminista, lógicos e racionalizantes, que viam o mundo com otimismo, amavam o progresso, a ciência e a razão e, ao modo implacável de Sherlock Holmes, apenas com a fria inteligência desmascaravam o sobrenatural, a escuridão, o obscurantismo e as superstições.

Pois bem, esta volúpia racionalizante entranhou-se na minha cabeça desde então – não sei se foi isso mesmo que aconteceu comigo, mas faz sentido, o que para um escritor é suficiente. Considero-me hoje – e desde a adolescência, de fato – um homem desprovido de sentimento religioso, o que agora eu contemplo como uma estranha falta, um pequeno vazio de sentido e que, por caminhos misteriosos, é outra boa razão para escrever. Digamos que este, afinal, era o espírito do tempo, a alma daqueles prósperos anos 50, em que a cultura americana assombrava o mundo, como a *Frigidaire* branca chegando em casa para fazer gelo assombrou minha infância. Pareceria àquele pequeno leitor, se pensasse nisso, que não há alternativa senão o mundo nítido da razão e das luzes. Era uma breve ilusão, o sopro de otimismo que costuma acontecer em alguns surtos de prosperidade, como se a História, depois de embalada em trilhos supostamente certos, não sofresse mais retornos.

Mas abro um parêntese: houve também outro grupo de leituras de infância que de alguma forma marcaram minha relação com a linguagem, agora especificamente brasileira, e com a imagem da literatura. Herança do meu pai, com anotações a lápis provavelmente de seus estudos escolares, havia em casa uma coleção de livrinhos de capa dura, de antiga edição lusitana, com vida, obra e uma breve seleção de poemas de poetas românticos brasileiros. Assim, por conta própria, conheci a vida e decorei poemas de Casimiro de Abreu, Fagundes Varella, Castro Alves, Gonçalves Dias e

Álvares de Azevedo. Havia um outro livro, e este tive a sorte de conservar até hoje, que fazia parte do pacote de iniciação literária, digamos assim: um tratado de versificação de Olavo Bilac. Foi uma leitura intensa durante um bom tempo; e diretamente daqueles poemas e daquele manual didático surgiram as minhas primeiras e brutas imitações de versos e rimas, tarefa penosa que abandonei em favor da prosa anos depois, para felicidade de todos. Mas eu acho que a leitura destes poetas e daquelas biografias sombrias, quase todos mortos praticamente crianças, deixou marcas e sentimentos pessoais e literários duradouros na sensibilidade daquele leitor iniciante e revoltado. E, de certa forma, uma imagem forte de um pequeno mosaico do imaginário da cultura brasileira, que incluía índios heroicos, negros massacrados pela escravidão e poetas pálidos à beira da morte, vítimas de uma invencível melancolia.

Bem, as crianças crescem. No Ocidente, com reflexos no mundo inteiro, os anos 60 representaram um surto de irracionalismo criador que acabou por afetar todas as esferas. Dois dos mantras do tempo – é proibido proibir e todo poder à imaginação – tinham um apelo irresistível. O pequeno iluminista do quarto escuro foi se fazendo um adolescente revoltado e um jovem atrás da metafísica que lhe faltava. A comunidade de teatro em que mergulhei quando novo era este espaço saborosamente irracionalista que prometia um outro paraíso. O teatro parecia a síntese dos valores do tempo: a montagem de uma peça, realizada por um grupo que vivia comunitariamente em torno de um guru – um *modus vivendi* que foi uma espécie de ícone de prestígio do tempo –, sintetizava de uma vez só o ideário desejado. A vida estava ali; a arte também – lia-se e escrevia-se para a representação instantânea; e este pacote incluía necessariamente uma participação existencial, política, literária, ética nos fatos da vida, do país e do mundo. Cada participante era como que uma obra ambulante, o que praticamente dispensava-o de produzir alguma coisa. Bem, esta síndrome existe desde sempre, mas naquele tempo parecia uma atitude obrigatória.

Mas, repetindo o decreto de John Lennon, o sonho enfim acabou e, no meu caso, a chamada vida real voltou à tona com suas exigências terrenas. Depois de tentar todos os modos alternativos de sobrevivência – relojoeiro, ator de teatro, candidato a piloto da marinha, lavador de pratos na Europa –, acabei me entregando à imolação acadêmica, entrando enfim no curso de Letras aos vinte e cinco anos, e tornando-me professor de universidade dez anos depois, onde eu ficaria outros vinte, até, digamos, recuperar o fio da meada biográfico, largar o emprego e me soltar aqui fora como escritor, nesta vida selvagem.

É engraçado como conseguimos criar uma visão de conjunto aos fatos disparatados do nosso passado, como se houvesse um desígnio secreto nos conduzindo, um narrador oculto que escrevesse um livro às nossas custas. Ele sabe mais do que os seus personagens; tem o controle do passado, comanda o presente e determina o futuro; tudo vê, enquanto seus personagens trôpegos abrem portas sem saber o que está do outro lado. Mas seria muito difícil viver sem este poder de organização do passado. Do mesmo modo, criei também uma biografia literária, classificando meus livros em grupos demasiadamente coerentes; os de aprendizado, que jamais publicaria, os de formação, que sobrevivem com ressalvas, os de razoável domínio técnico, que me definiram como escritor e, à falta de uma outra palavra, quem sabe salvadora, os de maturidade, quando a linguagem parece escrever sozinha, pelo faro, enquanto o mais importante é justamente o olhar adulto e agudo sobre o passado.

Mas nesta autonarrativa houve uma pedra no meio do caminho, lembrando a imagem simples e maravilhosa do poeta que talvez mais profundamente marcou minha vida de leitor, e mesmo de prosador, porque até hoje, escrevendo, às vezes sinto súbito o eco de sua sintaxe – Carlos Drummond de Andrade. Em 1980, o nascimento do meu filho Felipe, com Síndrome de Down, foi daqueles choques de que, à primeira vista, não nos recuperamos. Há uma tentação sentimental de atribuir alguma simetria psicanalítica aos acontecimentos da vida, buscando-lhe mais uma vez um sentido secreto capaz de nos redimir – o filho sem pai, era, agora, o pai sem filho, enredado em nova trapaça biográfica. Mas isso é literatura; na vida real, o problema gigantesco que parecia metafisicamente intransponível dissolveu-se rápido em transformações enriquecedoras, cuja única sequela marcante vem sendo um afeto mútuo, denso e duradouro, com uma intensidade que a normalidade é incapaz de atingir.

Nos anos de boa estabilidade profissional que se seguiram, a "freada de arrumação" da minha vida que a rotina de professor me obrigou a seguir, sob a curiosa ética puritana do trabalho que talvez seja a marca subterrânea, silenciosa, da atmosfera curitibana, mergulhado no trabalho acadêmico de sala de aula e de leituras, aventurando-me numa área teórica que mais tarde me daria o doutorado, e sempre me esforçando para separar com cuidado o espírito da ciência da alma da ficção, consegui enfim transformar em literatura, com alguma consistência, meu desejo de ser escritor. Em 1988, publiquei *Trapo*, que me lançou nacionalmente, e desde então não parei de publicar. Vendo daqui, e retocando meu passado para lhe dar sentido, eu diria que o isolamento mais ou menos radical de uma Curitiba fora do eixo, naqueles tempos pré-internet, me fez bem.

Não sei como eu reagiria ao estado de, digamos, "exposição permanente", que hoje parece a norma. Mas isso de novo é um retoque do passado: não há outro tempo sobre este tempo, além da especulação da memória.

Bem, durante muitos anos ignorei completamente, como escritor, a antiga pedra do meu caminho. Quem lê *Trapo, Juliano Pavollini, A suavidade do vento, Breve espaço*, ou *O fotógrafo*, já de 2004, não diria que o autor daqueles romances teve um filho especial ou viveu algum trauma do gênero. O tema não existia para mim. Nem me passava pela cabeça a ideia. Eu sempre achei, e penso que com razão, que problemas pessoais não fazem literatura; a literatura não pode ser o terreno da confissão direta, o que coincidia também com certo ideário literário bastante forte nos meus primeiros anos acadêmicos, que desembarcava aqui pela via francesa, repercutindo um olhar formalista sobre o objeto estético que vinha de longe, desde as revoluções teóricas e culturais da virada do século 20. Uma obra de arte é um objeto com leis internas e que jamais deve ser perturbado pelos problemas pessoais de seu autor. Mas seria cômodo demais atribuir apenas à teoria o meu silêncio – havia uma barreira diante de mim muito difícil de ultrapassar.

Mas, àquela altura, esse medo já era apenas uma sombra antiga e cicatrizada, e decidi escrever sobre o nascimento do meu filho. A ideia começou como um projeto de ensaio – por essa razão, foi o primeiro romance que escrevi diretamente no computador, eu que escrevi todos os meus romances anteriores à mão, como um escrivão do século 19; já meus ensaios e textos acadêmicos sempre nasceram diretamente da máquina de escrever ou do computador. Mas logo percebi que o único modo de enfrentar o tema era livrar-me do espírito da afirmação ensaística e mergulhar no olhar romanesco, que é a única boa linguagem de que de fato disponho. Eu tinha de me afastar de mim mesmo, criar um personagem e, sem medo, soltar a corda. Assim nasceu *O filho eterno*, o romance que, curiosamente, me devolveu à rua. Graças ao seu inesperado sucesso, na roleta literária de quem escreve, recebi o último empurrão para sair da universidade e retomar a meada dos sonhos dos meus anos 70.

Eis, enfim, uma história de escritor com final feliz. Na boa literatura, finais felizes costumam ser, paradoxalmente, desmancha-prazeres; o bom leitor não suporta água com açúcar, finais melosos ou redenções inverossímeis. Quando lemos, queremos desgraça, desdobramentos pesados, encruzilhadas morais, rompimento da aparência, a dura poesia de tudo que não tem solução. Queremos partilhar o que é irredimivelmente incompleto, para confirmar que não estamos sozinhos. Mas, fora da arte, na própria vida, lutamos por nos tornar o personagem de um romance impossível, que seja ao mesmo tempo boa literatura, eticamente sustentável e que, por algum milagre, nos redima para sempre. É difícil, mas a verdade é que somos muito mais ardilosos na vida real do que como escritores. E – nem preciso repetir esta verdade límpida na casa de Machado de Assis – narrador confiável não existe. Mas vamos conceder que – mantendo na vida sempre um sopro literário – se a infelicidade produz literatura, será também exato dizer que a literatura produz felicidade.

Muito obrigado à Academia Brasileira de Letras por proporcionar este encontro, em que tenho o privilégio de partilhar minha história de escritor.

a criação literária

Conferência de abertura do I Colóquio Crítica da Cultura — O Futuro do Presente, na Universidade Federal de São João del-Rey, apresentada em 19 de outubro de 2010

Antes de mais nada, gostaria de agradecer o convite para participar deste evento. Um convite, aliás, temerário, já que, saindo do terreno da ciência mais sólida, ou pelo menos tentativamente sólida, que aqui se busca fazer, encontro-me desarmado para o próprio tema que escolhi.

Em outras palavras, vou tentar falar, teoricamente, daquilo que desconheço, a criação literária.

Não se trata de uma afirmação puramente retórica. Produzir literatura é uma coisa – sou autor de vários romances que encontraram leitores, especialistas e não especialistas, que de algum modo me garantiram esse incerto status de "escritor" – e não há outro modo de aferir meu trabalho, porque não se trata de ocupação com regulamentação oficial e legal. Sou até mesmo, em nome dessa condição outorgada, convidado para eventos como este. Mas coisa muito diferente é dissertar sobre a literatura, ou, mais especificamente, sobre esse mistério que se chama "criação literária", sem fazer, digamos, poesia. Isto é, sair do mundo da "pura criação", se essa metáfora corresponde a alguma realidade, para o do observador, de bisturi na mão, diante de um objeto inanimado chamado "literatura".

Como na vida real, durante vinte e quatro anos, fui professor, habituei-me a essa dupla personalidade. O Estado não me pagava para fazer poesia ou escrever romances, fato cristalino que, num dado momento da minha vida, me obrigou a escolher entre uma coisa, ser professor, e outra, ser escritor, quando já não me senti mais em condições, até mesmo físicas, de conciliar as duas atividades, até porque os livros que eu escrevia não se enquadravam no âmbito aceitável da produção acadêmica, indispensável para me definir como professor universitário. O que, aliás, é justo – jamais tive a pretensão de me definir como um artista injustiçado, o poeta incompreendido diante da máquina de produzir saber que a universidade representa, o que seria rematada tolice. Jamais dei aula como quem faz literatura. E espero ardentemente que não tenha escrito nenhum romance como quem dá uma aula. A última coisa que eu desejaria para a minha vida seria o enquadramento como, digamos, ficcionista adjunto, classe 3, com DE e três quinquênios, e pontuação X na CAPES, com progressão automática a cada dois anos.

Mas, neste momento, vou tentar voltar ao papel do professor para, quem sabe, entender que variáveis entram em jogo quando falamos de "criação literária". O primeiro dado é que a literatura é um fato da cultura humana, um objeto contingente, ao sabor da história e dos valores de seu tempo. A própria ideia de "literatura" é definida nesses termos passageiros, voláteis, a um tempo cumulativos e transformadores. Penso que, hoje, seria difícil alguém sustentar o contrário – a ideia de uma metafísica literária, além do tempo e da história – senão como liberdade poética, metáfora, ou fazendo do próprio olhar do observador uma, agora sim, "criação literária". Mais ou menos como um conto de Borges ao falar de textos literários. Ele pode simular uma ciência definidora do objeto literário, mas em poucos parágrafos, em nome das próprias convenções literárias, o leitor educado saberá que está no coração de uma "criação literária" e não de uma historiografia científica.

Bem, podemos defender que o conceito de "narrativa", para dar um exemplo básico, seja um traço indissolúvel da condição humana – não há homem sem linguagem, e não há linguagem sem narrativa, digamos, fechando um silogismo amador que dou como exemplo didático. Falar é narrar. Mas para daí dar um salto e afirmar que, portanto, não há homem sem literatura, vai um caminho comprido em que será mais prudente eu não enveredar porque não vou conseguir encontrar a porta de saída. A literatura sempre se definiu como tal a partir de objetos históricos perfeitamente delimitáveis e convencionais, nos termos de uma cultura que lhe dá sentido. E, detalhe importante, que lhe recorta a atividade, subtraindo-a do gesto cotidiano – nenhum objeto estético se confunde com o ato da vida em si, embora, é claro, faça parte dela. Penso que esse é um bom ponto de partida. Até para lembrar essa sombra difusa chamada "estética", ou o sentimento de beleza que parece animar toda ideia artística, e que de certa forma separa, por mais tênue que seja a linha, a vida cotidiana do gesto estético.

Entre o público que, há dois, três, quatro mil anos, ouvia reverentemente o bardo da tribo cantando as glórias do povo, hoje objeto impiedoso da paródia de Asterix, e o leitor moderno que ontem mesmo entrou numa livraria e saiu de lá com um romance de Dan Brown debaixo do braço, a ideia de literatura foi se moldando retrospectivamente em função da história, das condições sociais, da figura do escritor e do leitor, do papel da palavra escrita, das relações com o poder e assim por diante. A ideia que temos hoje de literatura, incluindo na definição as produções ficcionais poéticas ou prosaicas (e dizer mais que isso é também entrar num labirinto sem saída), foi uma construção relativamente recente da história. A simples figura do leitor moderno diante de uma estante de uma livraria, numa prateleira intitulada "literatura nacional e estrangeira", prestes a fazer sua escolha, com uma nota de cinquenta reais no bolso, é uma extensa e complexa obra coletiva que envolveu, ao longo de séculos, muito mais do que um artista solitário, um herdeiro de Gutemberg e um comerciante de livros.

A própria estratificação da arte literária em seus gêneros específicos, uma preocupação classificatória permanente desde que a palavra escrita ganhou o status social que mantém até hoje, foi perdendo o seu caráter sagrado que parecia definir as formas da linguagem por uma determinação quase divina, o lugar do trágico, do cômico, do épico e do lírico como pilares constitutivos e eternos da condição humana, para uma classificação absolutamente laica de formas da linguagem que dá espaço tanto para a reedição bilíngue da *Ilíada* quanto para o último romance policial. Transformado em produto, ou simples mercadoria, o livro já há dois ou três séculos foi perdendo sua aura sagrada, agora consumida na multidão triunfante, ou, se quisermos, no coração da sociedade dos indivíduos que define a cultura política ocidental.

O sistema de valores que estabelece a hierarquia literária já não consegue mais ser garantida por nenhuma procuração divina. Indiferente à crítica que nunca lhe deu trégua, ou que mesmo já tenha desistido dele, Paulo Coelho vendeu milhões de exemplares pelo mundo afora. Do mesmo modo, poetas sutis e profundos, objetos do mais fino bisturi acadêmico, só sobrevivem subsidiados pelo serviço público, fechados em salas de aula ou em conspícuas dissertações científicas. Um grande número de lobbies do bem, digamos assim, estabelece, reforça, defende e luta por uma hierarquia poética e por um sistema de valores estéticos que não sejam simples função comercial, gosto popular ou modismo passageiro. Esses lobbies (e não vai nenhum tom pejorativo na palavra, entendida no seu sentido básico de grupos de defesa de interesses estéticos, legitimamente discutidos e assimilados) garantem espaço a gêneros e obras em cadernos literários, cursos de pósgraduação, listas de obras para o vestibular, concursos e prêmios literários, numa disputa que procura jamais perder de vista o que poderíamos chamar de "especificidade literária". Isto é, segundo essa perspectiva literária clássica, o valor estético não é um dado autoevidente; é uma dura construção da cultura ao longo do tempo histórico.

A questão é que, todos sabemos, esse "valor estético" é um peixe ensaboado, difícil de agarrar. Como se não bastassem as complicações históricas de sempre, dentro do mesmo campo cultural – digamos, numa simplificação brutal, a elite letrada ocidental, que por meio de seus aparatos de poder de ideologia, cultura e ensino, sempre se bateu para fixar referências, numa guerra política que vem de longe –, agora temos também o advento de uma nova onda crítica radical, de perfil niilista, que contesta até mesmo a legitimidade do metro de referência. Nessa outra medida crítica, o próprio metro de referência que define o conceito de literatura a partir da poderosa tradição ocidental já não teria mais os clássicos cem centímetros. Afinal, para usar uma metáfora, o que é o conceito de "metro", senão uma medida arbitrária imposta? Para boa parte dos estudos culturais atuais, empenhados em esvaziar até a última gota de sangue azul que as chamadas "artes literárias" ainda manteriam atavicamente em sua autoimagem, a hierarquia valorativa da literatura já seria, por si mesma, uma violência, e a referência do Ocidente como padrão universal da literatura, apenas a dominação do velho imperialismo em sua forma mais insidiosa.

Essa é uma discussão sem fim. Pessoalmente, tenho uma grande dificuldade para aceitar o alegre alargamento da relativização cultural que hoje parece ser uma pedra de toque para tudo que diga respeito a valor, como se carregássemos uma culpa imemorial. E, em nome dela, abdicássemos, por um ato de fé (porque é só nele que o relativismo cultural parece se sustentar em última instância), abdicássemos do nosso tempo, do nosso espaço, e da responsabilidade histórica de nossas escolhas. Nesse sentido – e talvez em outros que não venham ao caso –, eu prefiro me definir como um conservador.

Talvez esteja havendo uma passagem pouco pensada de uma categoria de natureza essencialmente política – a universalidade da condição humana (aliás, ela também não autoevidente, mas, do ponto de vista cultural, um produto extremamente conturbado da história humana, ainda restrito ao mundo da utopia, pelo menos nos seus efeitos práticos) – para uma categoria estético-cultural que exige justamente o indivíduo e a responsabilidade de sua escolha.

Mas isso também não vem momentaneamente ao caso, porque essa moldura foi o modo que encontrei para começar a falar do que realmente quero pensar aqui, a natureza da criação literária. Melhor dizendo, a natureza da criação literária *para nós*, porque eu não acredito propriamente que a criação literária tenha uma "natureza" que nos permita colocá-la na gaveta dos fatos biológicos. Vou assim assumir o risco de falar mais ou menos de mim mesmo, ou de onde pude depreender, através da minha experiência, específica de um momento, uma história, um tempo, que diabos afinal significa "escrever". Fica acertado que "escrever" aqui significa "produzir literatura de ficção", fazer "arte literária", ser autor de contos, romances, novelas, poemas. A coisa é sempre meio vaga, mas acho que assim o campo fica mais ou menos delimitado.

Quando, nessas palestras que ando fazendo em minha vida de camelô literário, destino dessa incrível nova classe de escritores brasileiros que, de um modo ou outro, conseguem no Brasil viver do que escrevem, me perguntam o que eu sugiro para que seus filhos se tornem escritores, costumo fazer uma brincadeira. Bem, digo eu, tranquem o seu filho num quarto escuro, amarrem sua perna numa estaca irremovível, cortem-lhe a comida pela metade ou abarrotem-no de calorias; esqueçam-no durante anos; criem para ele todos os problemas que vocês imaginarem; desqualifiquem-no até onde sua imaginação permitir; insuflem-lhe um pesado sentimento de culpa, religioso ou laico, não importa. Ou ponham na cabeça dele uma culpa social que remonte às cavernas, e que ele agora tem de pagar. Enfim, a lista do que podemos fazer para infernizar a vida de alguém é infinita (ainda mais se são parentes próximos, sempre à mão, com o poder terrível da relação afetiva a pesar no contato), enquanto nossas bondades possíveis parecem que vêm sempre com um ar sorridente de falsidade (o que também pode ser uma boa vitamina artística, rodear alguém de tudo que é falso).

(Atenção, antes que me julguem um monstro: essa imagem medonha é só uma metáfora. Mas, como toda metáfora, tem lá seu pequeno fundo de verdade.)

Certamente, submetido a esse festival de problemas, dificuldades, desajustes, sentimentos contraditórios de inadequação, ódios suprimidos pela culpa ou bondades insidiosas e interesseiras, desejos proibidos e náuseas insuportáveis, nosso herói terá todas as condições de se tornar um escritor. É bem provável, aliás, que, se o serviço for bem feito, ele se torne um grande escritor, dos maiores. Pelo menos, tirado o exagero retórico deste escriba (escritores têm a compulsão da mentira), esta tem sido uma constante na biografia dos escritores mais marcantes do século 20 e do século 19, que afinal formaram a imagem cultural do que significa "escrever" para a modernidade.

O escritor é, antes de tudo, um inadequado, alguém flagrado em erro, que tentará recuperar, pelo trabalho beneditino da escrita, a sua alma – digamos romanticamente (mas a literatura, como a entendemos hoje, lembra bastante uma produção romântica) –, a sua alma usurpada. De certa forma, a expressão que o escritor João Antônio costumava usar para explicar seu trabalho de escritor – quando escreve, o escritor "vai à forra" – está certa. Mas eu deslocaria a direção dessa vingança, que para ele parece que era diretamente dirigida à sociedade, para a própria intimidade do escritor. É como se ele, de fato, quisesse corrigir a si mesmo, antes de, pragmaticamente, tentar corrigir a sociedade e o mundo. O poeta e o prosador, ambos se incluem substancialmente nas figuras que eles projetam escrevendo, ainda que só eventualmente sejam produções tipicamente "biográficas".

O sentimento de inadequação seria, assim, o primeiro motor de quem escreve. O que nos leva a um paradoxo interessante, que é em si uma inadequação metafísica: a felicidade não produz literatura. Ou, se me permitem mais um exagero retórico, pessoas felizes não escrevem. Há um milhão de coisas mais interessantes à disposição dos felizes – por que diabos iriam eles largar os prazeres tranquilos da felicidade pela incerta e terrível solidão da escrita? Tudo bem – em alguns raros momentos da vida, devorados pela felicidade de alguma paixão adolescente, aquela felicidade explosiva que às vezes vivemos com a angústia de quem acompanha um inexorável fio de pólvora a queimar – resolvemos sofregamente escrever, em geral belos versos. Alguns deles até que ficaram na história. Acontece. Mas, se queremos ser realistas, a verdade é que a felicidade é má conselheira literária. A felicidade dispensa o esforço de pegar uma caneta, ou menos ainda, de ligar um computador. Muito mais provavelmente, e estatisticamente esmagador, é o impulso de escrever dos – mais uma metáfora – infelizes da Terra.

Há aqui um detalhe que vou frisar de passagem, o que reforça o sentimento de inadequação. É simples e cristalino: ninguém pede para você escrever. Não há uma procura objetiva, de mercado, atrás de escritores. Se daqui a cinco mil anos, quebrados todos os outros laços de informação sobre o mundo atual, um arqueólogo se debruçasse sobre um caderno de classificados qualquer de 2010, edição de domingo, poderoso documento sobre a vida cotidiana dos terráqueos, não lhe restaria a mais remota pista de que havia um trabalho, um ofício, uma atividade chamada "escrever". Sempre brinco com esta imagem (que abre um dos meus romances) – deparar com um anúncio do tipo "procuram-se escritores", "contratam-se romancistas", "Poeta, com referências, paga-se bem". Nada. Ninguém quer saber de escritores, aqui, na China, nos Estados Unidos, em Uganda.

Claro que, *depois de prontos*, formados pelos mais misteriosos caminhos da mais radical conta própria, os escritores saem do nada, do limbo, para os holofotes do prestígio social. Todo escritor bem-sucedido é, no fundo, um *parvenu*. Daí a resistência a aceitá-los. Para ser aceito no clube dos outros, ou pelos outros, há um longo e duro caminho a trilhar, provas de resistência, controles de suposta qualidade, avaliações cumulativas, contestações espetaculares, desconfianças perenes, de modo que o escritor, quando preocupado em saber o grau social de seu status, jamais saberá de fato o que ele é e o que ele representa no labirinto e nos arcanos do prestígio artístico. Tudo é radicalmente incerto no seu trabalho. Mas atenção, para que eu não seja mal interpretado: estou apenas observando um fato, não lamentando-o. Eu acho essa característica central da atividade de escrever – o fato que, por princípio, ninguém está interessado nela, e os que estão interessados jamais revelam o que de fato querem, senão em lampejos inapreensíveis – absolutamente sensacional. Aliás, esta é a sua característica mais marcante, e mais um traço de sua radical inadequação.

Tudo bem – vai aqui mais um toque romântico sobre a atividade do escritor. Um historiador mais frio diria que o escritor aqui está apenas reverberando alguns dos conceitos típicos da geração que o formou, nos idos de 60 e 70, e que a ideia do escritor, do criador literário, como um lobo solitário contra o dragão do sistema social, como uma estranha espécie de "pária voluntário", é um, quem sabe, "ideologema" já sem sentido na sociedade atual.

É mesmo uma visão romântica, classicamente romântica – na sua origem, a atitude de uma classe de intelectuais que, na entrada do século 19, já nostálgica de uma aristocracia naufragada, lamenta o pragmatismo burguês dos novos tempos. Um pragmatismo, aliás, que iria possibilitar, em última instância, a criação do leitor moderno; a Revolução Industrial, a laicização do poder público, a nova divisão do trabalho, a criação das classes médias urbanas, o "burguês" que horrorizava os românticos e mesmo o realista Flaubert, o burguês será exatamente a matriz do leitor moderno, que terá dinheiro, lazer e liberdade para ler romances. O ócio pós-nobreza criou o herói romântico, saudoso dos valores perdidos na máquina do mundo que se programava. Nos nossos anos 70, mais uma vez se tratou de uma geração libertada e enriquecida pela ascensão das classes médias no pós-guerra que resolveu chutar o pau da barraca dos capitalistas, ou, genericamente, do "sistema".

Eu sou filhote desses tempos – e trago até hoje esse sentido, ou talvez até um desejo profundo de inadequação. Eu não queria me integrar. Isso fez o escritor. Seriam então as circunstâncias históricas que fazem a criação literária?

Em parte menor, com certeza. Mas, como eu disse, ao me declarar conservador, não posso abdicar de meu ponto no tempo e no espaço, ainda que não seja uma resposta mecânica deles. Mas em parte maior e muito mais substancial, é uma escolha mesmo. Acho que a criação literária, para se justificar como tal, tem de manter radicalmente a sua inadequação primeira.

Pois bem, esse ser inadequado começa a ler, o que nos dá mais uma pista da criação literária – ela não é uma atividade ingênua, espontânea, pura fruição e resposta ao real, mas uma atividade brutalmente mediada pela palavra escrita. Os textos lidos são os criptogramas de iniciação à realidade maior que esse primeiro leitor pretende. Entre o mundo – as coisas físicas, os sentimentos, as emoções terríveis, o medo e o riso alheios – e a cabeça pensante que em tudo mergulha e se vê envolvida, está o desespero da linguagem, primeiro oral, com a sua absurda volatilidade, e em seguida escrita, um bloco pesado de representações fixas sugerindo a ideia de tudo que é imutável e eterno. Há também sobre a escrita o sopro do prestígio social, religioso, político, e o prazer do ornamento, do verbo inútil – tudo pesa.

É possível que no momento dessa decisão – dizer, com todas as letras, "sou escritor" – assumida sempre como um momento terrível de solidão (ninguém está pedindo para que eu seja escritor, é o que todo escriba sincero logo perceberá), nosso herói descubra que seu desejo não tem propriamente um objeto. Isto é, talvez ele perceba que seu desejo não está fora dele – uma tarefa ingente diante de si que ele só poderá cumprir se for escritor, e então ele se torna escritor para cumprir essa tarefa inadiável. Quase nunca será esse o caso. Acontece em geral o contrário: é justamente o desejo de ser escritor que acaba por determinar, por faro, intuição, acaso, breves toques de pragmatismo e algumas inexplicáveis inspirações, qual é mesmo a tarefa a cumprir, uma tarefa que não existia antes, e que só ganha realidade pela força da minha decisão de escrevê-la.

Repetindo a anedota sobre o advento do computador – o computador veio para resolver problemas que antes não existiam –, podemos dizer que o ato de escrever também tenta resolver problemas que antes não existiam. Ou, se existiam, eram apenas uma massa difusa desesperada por uma formulação. (Uma formulação que, de fato, passa a ser por si só um outro problema grave, porque a linguagem, ao contrário do que pensamos em solidão, não tem nenhuma transparência ou clareza intrínsecas – ao contrário, cada palavra que se estabelece entre mim e o mundo, entre mim e os outros, já nasce sobrecarregada de sentidos secretos, duplicidades estranhas, opacidades vazias, intenções estrangeiras. O que é outra questão.) O impulso da representação literária, quando se concretiza no papel, nas suas primeiras formas, passa imediatamente a amarrar quem escreve a uma pauta de que ele não pode mais se livrar, sob pena de perder seu eixo de referência, a partir do qual o mundo e sua representação ganham a simulação de um sentido.

Isto é, o ponto de partida, a primeira escolha, estabelece as regras do jogo. A primeira frase escrita de um texto ficcional é uma âncora exigente lançada entre o desejo de algo apenas intuído, uma sombra inquietante de sentido, e o mundo brutal dos fatos, tudo aquilo que é produzido pela linguagem alheia e nos envolve absurdamente. Essa primeira frase, essa âncora narrativa, estabelece por si só uma lógica autônoma, desde o princípio. Dita a primeira palavra, a segunda já será sua escrava. E no monitor – ou no papel, para os mais antigos – brilha aquela frase que já nasce estranha, com uma inquietante vida própria, descolada da minha intenção bruta ao escrevê-la, e igualmente descolada do fato real ou imaginado que se pretende representar, sonhar, retratar ou negar. A palavra criada repousa num limbo, num território que não se entrega completamente a nenhum dos lados. Nesse limbo sem dono, e ao mesmo tempo enganosamente dócil ao toque das mãos e dos sentidos, faz-se a criação literária.

Esse é só o ponto de partida, mas, já nesse primeiro momento de criação, o que se cria, de fato, não é jamais um retrato da realidade, mas um narrador autônomo. O que a literatura faz é, antes de tudo, formalizar um ponto de vista original sobre o mundo que não pode jamais se confundir, como numa colagem exata, com aquele que escreve, o autor em carne e osso. O nascimento da literatura é o nascimento de um narrador.

Mas de que modo esse narrador – a linguagem que conta o livro que escrevo – não se confunde com aquele que escreve? Por dois aspectos centrais. O primeiro: a linguagem escrita, na sua exata abstração não redundante, na sua recuperação e lapidação em camadas (como se o tempo parasse no tempo enquanto ela se gera), cria uma rede autônoma de sentidos que apenas em parte lembra a rede viva da linguagem que falamos; há uma exatidão de artifício que o seu autor jamais terá em momento algum de sua vida real; o que nos leva ao segundo aspecto central – o narrador é sempre um objeto; o autor é um sujeito. Isto é, o objeto estético jamais se confunde com o evento da vida; ele é parte desse evento, do ponto de vista do leitor, mas não se confunde com ele. O evento vai adiante, ininterrupto, enquanto o objeto fixa-se como eixo de referência.

Aqui vai outro parêntese: a ideia de uma literatura sem autor, o conceito segundo o qual os tempos modernos implodiram a autoridade narrativa e portanto a linguagem fala por si em fragmentos autônomos, a afirmação de que o texto tem uma independência lúdica inacessível às mãos humanas, de que as tecnologias contemporâneas da linguagem criaram enfim a utopia que nos livrará da responsabilidade autoral – todos esses breves delírios de uma modernidade sem perspectiva são conceitualmente absurdos e eticamente inaceitáveis. Trata-se justamente do contrário: se a literatura quiser sobreviver como linguagem não oficial, ela terá a necessidade absoluta, intransferível, de significar sempre a criação de um narrador que é, em última instância, o meu elo inalienável com o mundo em que eu vivo e de que faço parte.

Escrever literatura é constituir um ponto de vista, pelo qual estabeleço um eixo de referência da minha condição humana. Relembremos, entretanto, o detalhe importante de que o ato de escrever *cria um narrador*, com o qual eu não posso me confundir. Se eu mesmo sou o narrador, não escrevo literatura – simplesmente dou minha opinião pessoal sobre o mundo, faço uma confissão, comunico-me diretamente com o vizinho, conto histórias da minha vida; enfim, se eu sou o próprio narrador, sou parte integrante da minha vida, não relativizável e sem nenhuma distância (que podemos chamar provisoriamente de "distância estética"). Os atos da minha vida não podem ser "estéticos" no sentido de um acabamento final – se o meu gesto pessoal é ao mesmo tempo um gesto pessoal e uma obra de arte, eu me transformo em objeto, que é a suprema alienação, a minha autodesistência.

(A arte performática, em última instância, é a dissolução do sujeito em objeto. Pode ser, é claro, um ato político – em que o "autor" do gesto se distancia dele mesmo para dar a sua mensagem, fazendo-se objeto – mas pode ser também uma entrega irracional, de raiz mística, a uma utopia escapista em que abandonamos a responsabilidade de sujeitos da história.)

Podemos dizer que a criação de um narrador, ato que é a alma da literatura, é sempre um gesto ético de abandono e generosidade (por mais mesquinhas ou egoístas que sejam as razões de quem escreve). Ao escrever, eu me transformo em outra pessoa, e obrigatoriamente tenho de ver o mundo do lado de fora de mim mesmo. Nesse momento, a ideia, ou o niilismo, de uma liberdade absoluta se relativiza. Na ficção, não sou eu que posso ditar regras ao mundo (se o fizer, serei um péssimo escritor) – é o narrador que eu criei, e ele está sempre no lado de lá, vendo-me criticamente.

Finalmente, chegamos ao leitor, sem o qual não existe literatura.

O primeiro leitor é sempre o próprio narrador – a mão que escreve não se confunde jamais com o olho que lê. Todo texto nasce cindido. O narrador escreve a frase que gostaria de ler: esse é o primeiro desejo de quem escreve. O escritor precisa escrever o que ninguém ainda escreveu, e para isso cria um narrador supostamente único, que soprará as palavras que o autor gostaria de ouvir e que ninguém ainda disse. Como essa é uma tarefa virtualmente impossível – para que haja um sentido qualquer, por mínimo e miserável que seja, é preciso que seja partilhado –, o narrador se apropriará de tudo que se diz e do que já foi dito, de modo que possa, no meio dessa floresta fartamente usada e pisada, abrir um caminho próprio e instituir um ponto de vista. Enfim, afirmar-se como sujeito.

São os olhos do leitor que criam o que ainda não existe, a partir dos andaimes textuais lançados pelo narrador. O ato da leitura realiza enfim a passagem delicada de um lado a outro do real, que recebe uma mensagem parcialmente cifrada. Permanece sempre entre a mão do narrador e os olhos do leitor a matéria bruta da realidade, que jamais falará por si só, mas cuja força e peso sentimos o tempo todo no evento aberto da vida. Todo texto literário propõe um desvendamento possível para essa massa bruta, criando hipóteses de sobrevivência e de não sobrevivência. Numa obra bem-sucedida, partilhamos a utopia de um mundo possível que, sem ocupar lugar real no espaço, será sempre uma chave generosa para que encontremos, narradores e leitores, nosso próprio espaço no espaço real.

Se a literatura quiser sobreviver, ela precisa assumir o sonho dessa chave.

Muito obrigado.

literatura e psicanálise

Aula Inaugural do Instituto de Psicanálise da Sociedade Brasileira de Psicanálise de Ribeirão Preto, em junho de 2009

Muito obrigado pelo convite para dar esta aula inaugural na Sociedade Brasileira de Psicanálise de Ribeirão Preto. O convite me honra e, ao mesmo tempo, me aflige. Irresponsavelmente aceitei, sabendo-me desarmado na área da psicanálise para esta conversa. Não tenho formação nenhuma em psicologia, não fiz nenhum curso de psicanálise e sequer conto com aquele brevê obrigatório de quem vai tirar o certificado de psicanalista, ou até mesmo do cidadão moderno, que é, antes de qualquer coisa, ter ele próprio se submetido formalmente à análise. Quando me perguntam se já fiz análise, ou se tenho vontade de fazer análise – com tantos exemplos muito bem-sucedidos de analisandos e analisados que melhoraram substancialmente sua relação com a vida, e conheço muitos –, costumo dizer brincando que, como escritor, a análise seria verdadeiramente um perigo.

Digamos que eu fique curado de todas as minhas neuroses, angústias e ansiedades, que eu tenha plena consciência do que se passa comigo, que eu descubra o foco central dos meus problemas, e que, a partir dessa percepção racionalizada, enfim eu me sinta uma pessoa equilibrada, centrada e integrada ao meu mundo social. Pois bem, tenho a suspeita, ou, melhor dizendo, a fantasia, de que, como escritor, estaria definitivamente perdido. Desembarcaria do mundo da literatura, cuja substância ancestral primeira é a ambiguidade trágica, o sentido de inadequação e a inexorabilidade do erro, para as delícias do mundo real, já psicanalisado; como num conto para crianças, eu restaria feliz da vida e não escreveria mais nada.

Claro que isso é uma brincadeira. Primeiro, porque as coisas não são nunca tão redondas e simples assim, o que é muito bom para a maturidade de todos nós. E, segundo e definitivamente, não há nada que impeça alguém que escreve de fazer análise. Os exemplos, aliás, são muitíssimos. Além do mais, o conceito popular de que todo artista tem de ser louco ou pelo menos um desajustado, também é, a ideia em si, uma loucura, ou um traço da cultura romântica que arrastamos como um charme artístico desde o século 19. Bem, não interessa aqui. Por uma longa sucessão dos acasos e das necessidades que regem a vida e seus confusos meandros, nunca me deitei no divã. Também desconheço os detalhes das diferenças teóricas marcantes que separam as correntes freudianas das correntes junguianas, ou dos discípulos de Reich, ou as linhas derivadas de Lacan, e daí por diante; sou suficientemente ignorante com respeito ao estado atual dos estudos psicanalíticos e de suas certamente múltiplas subdivisões e dissidências teóricas para me meter a rabequista. Aliás, quem foi convidado foi o ficcionista, em especial o autor de *O filho eterno*, um romance de fundo autobiográfico que, por acaso, acabou chamando especialmente a atenção de especialistas nas áreas psicanalíticas – o que a minha simples presença aqui está atestando.[2] Mas como essa relação entre o meu livro e a psicanálise aconteceu à revelia do autor, nesta nossa conversa vou avançar às cegas. O que, aliás, me deixará à mercê do olhar analítico da plateia. Assim, posso fantasiar, como bom Narciso, que minha primeira sessão de análise na vida já está sendo realizada diante de uma junta de analistas.

Tudo que tenho a oferecer a vocês é a literatura. Talvez seja um ponto de partida razoável, e é disso que vou falar. Quem sabe possamos descobrir alguns pontos de contato muito fortes entre a literatura e a psicanálise, tanto para quem produz, o escritor, como para o leitor. O primeiro ponto é esse: o objeto da literatura, assim como o da psicanálise, é o homem, mas essa afirmação, para que não se perca numa generalidade absoluta, também necessita de uma delimitação.

A literatura, como sabemos, não caiu do céu por algum criacionismo espontâneo. É produção da cultura, e cada momento histórico, cada sociedade, cada civilização criou o seu objeto e o seu conceito de homem, e a literatura de algum modo é uma expressão caudatária, às vezes transformadora, desse conceito. A literatura cria imagens poderosas da condição humana, às vezes como modelos a serem seguidos, às vezes como modelos a serem negados, e às vezes como possíveis retratos, como quem tenta descrever e delimitar o que, por si só, não se apresenta com clareza suficiente.

---

2 Por exemplo, a tradução francesa do romance, sob o título *Le fils du printemps* (Ed. Métailiè), receberia o Prêmio Charles Brisset de melhor romance do ano, instituído pela Associação Francesa de Psiquiatria.

Comecemos a lembrar, por exemplo, a figura do homem épico, uma estátua inacessível de um tempo a que não temos mais acesso, e que só pode ser cantado e repetido.[3] Nada se transforma no homem épico. Na história do Ocidente, o herói épico vive um passado absoluto e transcendente. Há sempre algo de inextricavelmente não contemporâneo nele. Na sua essência, o épico reforça o que não pode ser mudado. Ele é muito maior do que nossas pobres vidas contingentes. Mil vezes que agisse, o herói épico faria sempre a mesma coisa. Aliás, é exatamente isso que esperamos e que queremos dele. Ele é a expressão congelada de um saber que não pode ser tocado por mão humana. O herói épico está sempre à beira da divindade, e queremos que seja assim. A limitada condição humana sobrevive sempre aquém do épico; ela pode, é claro, compreendê-lo, admirá-lo, cantá-lo, tomá-lo como modelo, mas sabe que há um toque sagrado no gesto épico que só admite ser objeto de veneração. O épico existe para não ser contestado.

Pois bem, fazendo um recorte histórico arriscadamente sintético, podemos dizer que a constituição moderna da literatura recusa o épico. Não é momento aqui de repassar uma historiografia detalhada dos gêneros e das formas literárias, mas apenas relembrar que, em boa medida, a história da literatura do Ocidente foi uma lenta e progressiva (ainda que com os vaivéns dos movimentos socioculturais) corrosão do chamado "ideal épico". Isto é, para fazer um roteiro brutalmente simplificador, podemos dizer que, às vezes pouco a pouco, às vezes em saltos surpreendentes, ao longo dos últimos dois mil anos, as instâncias de prestígio da literatura, por vocação ligadas sempre aos centros de poder e

---

3 Sobre o conceito de épico, sigo aqui o olhar da teoria linguística e literária de Mikhail Bakhtin. Cito dois ensaios de Bakhtin específicos sobre o tema: "Da pré-história do discurso romanesco" e "Epos e romance", ambos em *Questões de literatura e estética* (São Paulo: Unesp/Hucitec, 1988).

do controle da escrita, passaram progressivamente a recusar a ideia do herói intocável e a buscar algum outro tipo de figura que foi se humanizando e se transformando até chegar, talvez, ao seu oposto, o que hoje podemos chamar de anti-herói, o típico cidadão moderno. Isso é, cada um de nós. Digamos assim: desembarcando do personagem épico, largando aquela pesada armadura de bronze que o definia e o congelava, o homem enfim assumiu o indivíduo, essa belíssima e complexa invenção dos dois ou três ou quatro últimos séculos. Ulisses, o herói de Homero, deu um salto e se transformou em Dom Quixote, e, alguns séculos mais tarde, em Hans Castorp, o personagem de Thomas Mann em *A montanha mágica*, ou em *O homem sem qualidades*, do austríaco Robert Musil, ou, talvez mais exemplarmente, Leopold Bloom, do *Ulisses* que James Joyce fez renascer durante vinte e quatro horas, um homem absolutamente sem nenhum destaque ou relevância, afogado numa excruciante miudeza cotidiana. Num trecho de *O homem sem qualidades*, de 1930 – um título que é em si mesmo uma síntese magnífica –, define-se com nitidez esse absoluto antiépico:

"O tempo corria. (...) Apenas não se sabia para onde corria. Nem se podia distinguir direito o que estava em cima ou embaixo, o que ia para diante ou para trás.

'A gente pode fazer o que quiser', disse o homem sem qualidades para si mesmo, dando de ombros, 'que isso não tem a menor importância nesse emaranhado de forças.'"[4]

É difícil imaginar uma representação humana menos épica do que esta. É verdade que, indivíduos modernos, podemos ter ou assumir "gestos épicos", sempre muito arris-

[4] MUSIL, Robert. *O homem sem qualidade*. Rio de Janeiro: Nova Fronteira, 1989, p. 12.

cados – por exemplo, essa minha tentativa, neste momento, de falar sobre a relação entre literatura e psicanálise justamente para o público especializado de uma sociedade psicanalítica –, mas o "épico" será imediatamente corrompido pelo humor, pelo fracasso e pela inapelável volta à condição fragmentária, não transcendente, de indivíduo. O épico será sempre uma máscara transitória num jogo existencial, e jamais o que poderia nos definir como seres humanos. E é bom lembrar que essa desmitificação da condição humana não é nenhuma essência que já existia lá atrás e que simplesmente foi sendo descoberta ao longo dos séculos, como camadas que se descascam até se chegar a alguma essência.

Acredito que as coisas acontecem de modo diverso, numa complexa relação social, política e econômica que cria determinados modelos, centros de valor, não por uma teleologia divina (um ponto ômega que nos levasse necessariamente a algum lugar transcendente) ou pela magia de um progresso moral e científico eterno e inexorável (como boa parte dos séculos 18 e 19 acreditou) e, quem sabe, dialético; mas por um delicado e incerto equilíbrio entre o acaso, o desejo e a necessidade. O herói épico foi se esfarelando ao longo da História porque a complexidade das sociedades que se criaram ao longo do tempo não dava mais lugar para a simplicidade imobilizada que o épico representa. Hoje, podemos dizer que ele sobrevive basicamente nas narrativas infantis – mesmo aquelas destinadas aos adultos, que vemos nos cinemas – e nas expressões populares da cultura, que por natureza são formas recorrentes de reforço dos mitos.[5] Mas, imagino, se um herói épico deitar no divã

---

5 Aqui é interessante lembrar que vivemos num mundo de presença popular maciça nos meios de comunicação de massa como jamais houve outro. O contraste entre a cultura de massa, em que o épico ganha espaço, mesmo que numa dimensão apenas lúdica ou pitoresca, e a cultura erudita especializada, de prestígio, mas com muito menor presença nos meios de comunicação, é um aspecto a considerar.

do analista, certamente terá de ser feito um longo trabalho para transformá-lo apenas num indivíduo, o que não será pouca coisa. O cinema, aliás, brinca com essa ideia – uma animação como *Os incríveis*, por exemplo, ironiza esse contraste entre o super-herói e o cidadão comum. Nem mesmo as crianças acreditam piamente no mito épico.

A segunda figura literária clássica que é também uma representação arquetípica da condição humana é o herói trágico. Na verdade, o herói trágico vai nascer no meio do caminho entre a entidade épica e o indivíduo solitário. Aqui o homem já desembarcou da terra dos deuses, já perdeu a grandiloquência tranquila de seus gestos, já se liberou de um desígnio muito superior a ele mesmo e ao qual não tem acesso, mas ainda não é dono de sua História. No caminho da plena realização de sua vida, no caminho da plena afirmação do indivíduo que ele apenas sonha ser – porque o indivíduo, no sentido como o entendemos hoje, é uma entidade ainda inexistente, é ainda só o fantasma de um desejo –, encontra-se o que chamamos classicamente de Destino.

Num sentido mais antigo, carregado de mítica e de mística, o Destino é a expressão daquilo que nos define, que vem antes da gente, que inescapavelmente nos molda e do qual jamais podemos fugir. O Destino, assim, só pode ser "revelado". Ele já está pronto. As clássicas pitonisas da literatura, todas as formas de profecia, são a realização plena dessa ideia. As bruxas anunciam que ninguém nascido de mulher matará Macbeth, e baseado nessa crença ele arrisca a mudar a história pré-escrita e inaugurar uma outra, que seja fruto de sua vontade. Mas Macbeth fracassa, porque o Destino ainda é inexorável – a profecia contém um truque de sentido, um sentido que também precisa ser decifrado.

O herói trágico passou assim a ser uma figura permanente da História. Há nele o desejo do indivíduo, o desejo de sua realização como indivíduo, mas esse desejo continua a ser destruído pela força inexorável do Destino. Talvez não haja figura mais perene, rica e multifacetada na cultura humana do que a imagem do Destino. Normalmente, para milhões de pessoas, ele se vincula a desígnios secretos de natureza mágica, inacessíveis à condição humana, e que em última instância se reduzem à vontade de Deus, seja qual for a forma que Deus assuma nas diferentes culturas, religiões, sociedades e setores específicos da sociedade no mundo inteiro. Não vamos enveredar por esse caminho, que seria, agora sim, uma tentativa simultaneamente épica e trágica do palestrante, sem nenhuma chance de salvação. Dá para arriscar e dizer simplesmente que a ideia do Destino tem sempre uma sombra final e definitiva, que é a morte. Mas nesse longo caminho, ele é também tudo que nos atrapalha em direção ao indivíduo, ou à realização do indivíduo. Sob a sombra do Destino, ninguém está livre, mas o desejo de liberdade torna essa sombra um peso mais difícil ainda. O herói trágico sofre exatamente nesse meio caminho: ele não pode ser o que ele quer ser. A mera vontade é um valor insuficiente.

Na esteira das tremendas mudanças conceituais que se fizeram a partir do século 18, pelas vias do Iluminismo e, em seguida, dos poderosos movimentos românticos, pode-se dizer que Deus começa a sair definitivamente do horizonte explicativo do mundo, refugiando-se enfim na sua dimensão religiosa, embora sempre com uma notável presença política nos Estados laicos que definiram a civilização contemporânea. O fato é que a ciência ganhou uma autonomia praticamente absoluta; e as artes, em particular a literatura, que é o nosso tema, passaram a ser uma forma de reconhecimento particular do mundo que, no Ocidente, se destacou de uma forma quase que irrecuperável da explicação mística do mundo. A separação entre a Igreja e o Estado, que os movimentos culturais que gravitaram em torno e em decorrência da Revolução Francesa firmaram como um pressuposto fundamental da vida política moderna no Ocidente, teve sua correspondência na literatura, na forma artística, que, também ela, "laicizou-se" irremediavelmente.

Nasce assim – nessa simplificação grosseira que fazemos aqui – o que podemos chamar de "indivíduo moderno". Sua origem é o herói trágico, mas agora o olhar humano não mais contempla o Destino com deferência, respeito, veneração ou simples admiração. Na verdade, recusa-o. O Destino não é mais um inimigo essencial ou inescapável, aquele que impediu Macbeth de usurpar o poder, o inimigo absoluto. É preciso substituir o Destino, a prefiguração universal do mundo e da vida, por alguma outra força, agora exclusivamente nas mãos isoladas de indivíduos falíveis, e não mais de deuses absolutos. Assim, a literatura do século 20 em grande parte vai tratar desse indivíduo solitário criado pela modernidade, um indivíduo que foi progressivamente sendo despejado da tranquila organização mítica do mundo, em todas as suas formas, no âmbito social, político, religioso e mesmo na vida cotidiana. Há vários traços recorrentes na imagem literária desse indivíduo, que é a um tempo a figura representada no texto, o personagem, e o olhar que o representa, o narrador, e que, em última instância, o interpreta. Ficcionalizar é criar hipóteses; e a partir desta câmara de simulações, o mundo ganha uma nitidez passageira, algum eixo de referência para desafiar o velho Destino.

2

Chegamos assim a um ponto de contato essencial entre a literatura e a psicanálise, na perspectiva laica de seu olhar. Mas antes retomemos brevemente esse esquema didático temporal, que pela sua simples sequência, do épico para o trágico e daí para o individual, poderia sugerir uma teleologia inexorável, quase que um biologismo que ao longo do tempo teria transformado um herói de espada e escudo de bronze num funcionário de um banco atrás de um guichê, por força de uma dialética histórica qualquer que fosse dando sentido a tudo. Na verdade, são quadros mentais que coexistem e interagem desde sempre, frutos daquele equilíbrio entre acaso e necessidade de que falamos há pouco. Mas se há algo inexorável, são as condições do tempo em que se vive, os pressupostos dos nossos gestos, o espaço de que dispomos; na perspectiva de quem vive, pouco interessam as razões da História; nesse sentido, não somos o objeto de um olhar; para nós mesmos, nunca somos personagens; somos o próprio olhar, antes de qualquer outra coisa.

Para a literatura de ficção contemporânea, esse olhar do indivíduo passou a ser o centro absoluto do mundo. Parece que todos os fios que o ligam ao mundo exterior e que o deixam em pé estão mais ou menos rotos, com lacunas tremendas. Pior, parece que esse indivíduo solitário não dispõe mais de ninguém para recompor esses fios que se perderam, se é que existiram um dia. O olhar dele se dirige às outras pessoas, nas quais ele se espelha e se reconhece como alguém da tribo; nesse olhar alheio ele também acaba por reconhecer a si mesmo; o indivíduo vai assim compondo o quebra-cabeça de si mesmo com peças suas e peças alheias, mas, parece, é incapaz de encontrar alguém que de fato o defina. Ou, se isso for pretensão demais, alguém que recomponha esses fios faltantes que o relacionam com o mundo chamado real.

Esse nosso personagem incerto é, em suma, o objeto da literatura contemporânea. Ou pelo menos de uma parte substancial da literatura representativa do século 20 e que avança para os nossos dias. É possível que, nessa passagem de século, outros quadros mentais se sobreponham, e essa autodefinição deixe de ser relevante para a afirmação do indivíduo. É possível que, pelas urgências do novo mundo que se desenha agora, comece a se criar um outro tipo de herói, capaz de dar respostas mais objetivas às instâncias sociais, econômicas, existenciais, agora sem a muleta transcendente que lhe apoiava em outras eras, mas também mais seguro de si, como um indivíduo que, enfim, atinge a maioridade. É uma possibilidade interessante. Mas agora nos interessa esse eixo central da melhor cultura do século 20, que inventou esse complexo, inseguro e multifacetado "indivíduo".

Pois bem, esse indivíduo é um ser necessariamente duplo. Olhamos para nós mesmos como quem contempla um objeto afastado, e esse nosso olhar assimila o olhar dos outros, numa tensa negociação de sentidos. Na literatura, esse olhar é o narrador, o organizador do mundo que, frase a frase, ele vai recompondo e dando sentido. Recompor e dar sentido: eis, em duas expressões, quem sabe, a carpintaria de quem escreve. A ficção aqui passa a ser, de fato, uma forma singular de reconhecimento do mundo, segundo parâmetros que são inacessíveis às outras formas de olhar, tomadas separadamente.

Isto é, a literatura não é ciência, mas se aproveita dela, e em certa medida absorve alguma epistemologia científica como medida do mundo, pelo menos no campo da prosa realista; não é política, mas representa políticos e trabalha também com a dimensão política da vida; não é religião, mas de modo algum é alheia às questões que a religião coloca para o homem; não é moral, por não seguir uma tábua congelada da moral social, nem ética, por jamais se reduzir ao aconselhamento existencial, mas é absolutamente impensável sem a sombra dessas duas dimensões centrais da vida; não tem a informação como objetivo, mas não pode viver sem ela, e, em grande medida, informa; enfim, não é um repositório de opiniões, ao modo de um ensaio filosófico ou de um estudo objetivo, mas cada sentença literária na boca de um personagem ou no torneio sintático de um narrador está sempre embebida de uma visão de mundo.

Um texto literário, portanto, pode ser entendido metaforicamente como um "meio-ambiente" em que pessoas, objetos e linguagens, inseparavelmente, são testados, postos à prova, revividos, criados e destruídos.

Sabemos que para a medida humana o tempo é uma dimensão irredimível. Pois a ficção realiza esse sonho de tempos paralelos. E, finalmente, libertada do serviço social, moral ou religioso, e mesmo do serviço estético de que costumava ser representante nos tempos antigos, a ficção faz desse indivíduo desenraizado o seu centro quase absoluto de reflexão.

Dizer mais do que isso sobre as funções da literatura – se é que a palavra *função* faz sentido aqui; eu acho que não, mas nos serve provisoriamente –, dizer mais sobre ela é arriscado. Vamos deixá-la por enquanto nesse cercado frágil – ela promove o que podemos chamar de "reconhecimento literário do mundo", um modo original de percepção da realidade, e que não se reduz à percepção do narrador ele-mesmo; sempre vai além, porque o narrador narra outros, que têm, eles também, maneiras distintas de pensar e sentir o mundo. O conjunto desse caos caprichosamente organizado é o que podemos chamar de obra literária.

3

E a psicanálise?

Bem, os psicanalistas são vocês. A essa altura, cada palavra minha terá revelado camadas secretas de sentido; minha linguagem me entrega. Mais ainda que isso, ela sabe mais do que eu, digamos assim. De certa forma, estou perdido, o que me define como um perfeito indivíduo contemporâneo.

Fazendo um breve histórico de minha experiência na área psicanalítica, entrei nela diretamente pela porta da literatura. Lembro que a leitura de *A interpretação dos sonhos*, numa tradução espanhola de uma coleção completa das obras de Freud que aconteceu de parar lá em casa, foi um dos momentos mais marcantes da minha formação de leitor. Avancei pela obra com o mesmo interesse e desvario com que, pouco tempo antes, eu lia Conan Doyle e as aventuras de Sherlock Holmes. A ideia de que todo sonho era a realização deformada de um desejo reprimido caiu na minha alma com a força de um Graal. Na época – início dos anos 70 – eu vivia numa comunidade de teatro, e minhas novas leituras renderam grandes discussões com o meu guru[6], uma figura que, pelas voltas da vida, ao modo dos valores daquele tempo, sintetizava a figura do pai, do professor, do conselheiro e do mestre. Ele era junguiano, ou pelo menos simpático à teoria de Jung, um pensador mais de acordo com o imaginário transcendente daquele período, em particular a teoria dos arquétipos, bastante cara à con-

---

[6] W. Rio Apa (1921-2014), escritor e dramaturgo que manteve durante anos uma comunidade de teatro em Antonina, no litoral do Paraná, de que participei ativamente, e, mais tarde, em Florianópolis.

cepção de teatro da comunidade. Eu aliás gostava da ideia dos arquétipos, por um lado artístico, digamos assim, embora minha linguagem do coração estivesse mais nos textos de Freud. Mas lembrem que eram leituras leigas, erráticas, sem a mais remota orientação acadêmica. A universidade, aliás, estava ainda a anos-luz da minha vida.

Não vou entrar no mérito da questão psicanalítica, terreno de especialistas, mas apenas situar mais ou menos esquematicamente o momento em que a psicanálise entrou na minha vida. Sim, Jung era mais apropriado à concepção de teatro que fazíamos pelo seu instinto essencialista regressivo, sua valorização de tudo que soasse primitivo e, supostamente, autêntico. Mas, para alguém desprovido de sentimento mágico do mundo, ou, dizendo de outra forma, para um racionalista como eu sempre me vi, a leitura de Freud me parecia mais interessante. A visão que eu apreendia ali era que, sim, o homem pode ser estudado, dissecado e analisado objetivamente, segundo parâmetros racionais, sentidos palpáveis, em função dos dados da experiência – porque, de acordo com outra vertente teórica importante, a matriz existencialista, que eu também absorvia, é a existência que determina a essência, e não o contrário. Em outras palavras – voltamos ao indivíduo contemporâneo –, a ideia principal é a de que o homem não está condenado a nada e poderia, portanto, determinar o seu destino. Nessa visão otimista, o impasse trágico estaria finalmente superado. O que é, sabemos disso, uma ilusão, porque afinal todos morremos no fim da história. Resolver esse impasse terrível sem recorrer à arma do pensamento mágico é o grande desafio existencial contemporâneo.

Bem, mas há outros desafios também – o poder do acaso, aquilo que popularmente continuamos a chamar de destino, esta palavra sempre poderosa. Num momento da minha vida, por exemplo, tive um filho com Síndrome de Down. Não há nenhuma cultura humana que saiba lidar tranquilamente com um evento desses. As culturas mais "primitivas", pré-letradas, simplesmente se livram da criança; ou apenas esperam que a natureza faça seu trabalho, que ela morra pela carência de recursos médicos (bebês Down costumam ser pouco resistentes a infecções, e talvez por essa razão não haja memória relatada de sua existência antes do século 19). Curiosamente, não transformei esse tema em literatura durante duas décadas; apenas quando ele deixou de ser um tabu literário e existencial consegui escrever a respeito. Depois de tatear algumas opções, entre o ensaio e a confissão pessoal, acabei por criar um narrador que recompôs e deu sentido ficcional a uma série de fatos avulsos acontecidos realmente comigo. Imagino – não sei, não tenho certeza, é apenas uma ideia leiga que me ocorre – que o psicanalista pode ser esse narrador externo, alguém que, por estar do lado de fora e portanto ser detentor de distância e perspectiva que escapam a quem apenas *vive*, dê sentido ao que não tem sentido imanente nenhum; alguém que nos ajude a recompor os fios rotos que hoje mal e mal nos ligam à realidade complexa e às vezes medonha. O que é mais um modo de aproximar psicanálise e literatura, já que, como a literatura, imagino, a psicanálise tem de trabalhar com uma complexa rede de fatores, circunstâncias e agentes que jamais se reduzem a uma fórmula salvadora.

    O reconhecimento ficcional do mundo, como a psicanálise, abre horizontes, mas há um detalhe importante que deve ser lembrado. É a distinção fundamental entre um evento da vida e um evento estético.[7] O evento da vida é um fenômeno permanentemente inacabado, e sempre perce-

---

7 Mais uma vez, recorro a uma distinção conceitual de Mikhail Bakhtin, especificamente em *Estética da criação verbal* (São Paulo: Martins Fontes, 2003).

bido de dentro para fora. Imagino que esse seja o material bruto da psicanálise. O evento estético é um evento percebido e finalizado de fora para dentro. É sempre um "outro" que produz um objeto estético, tanto no processo de sua realização (metaforicamente, podemos dizer que a vida é "suspensa" quando fazemos arte; ela passa de substância existencial a objeto do olhar), quanto no da sua observação (é absolutamente necessário que o observador reconheça, no que vê, um objeto, destacado do fluxo abismal da vida, o tempo sem retorno). A percepção estética, portanto, do ponto de vista formal prevê sempre uma suspensão do tempo e do espaço, durante a qual se observa um objeto que representa outro. Esse detalhe formal é mesmo mais importante, a priori, do que qualquer consideração de conteúdo como parte integrante de reconhecimento moral do mundo (que, afinal, faz parte do evento da vida); esses conteúdos, na arte, são representações miméticas de conteúdos, nas quais o evento aberto da vida se suspende.

Como exemplo, lembremos um dos grandes acontecimentos estéticos do século 20, o célebre mictório de ponta-cabeça que Duchamp expôs como obra de arte ("Fonte", 1917). Até hoje esse acontecimento radical desperta paixões teóricas e estéticas, sempre entrelaçadas de conteúdos avaliativos, até pela pouca nobreza do objeto, digamos assim – um mictório. Forma e conteúdo aí se entrelaçavam de forma inextricável, conteúdos que, na verdade, estavam mais na cabeça dos observadores do que nos elementos do objeto, mas sempre despertados por este. O que nos interessa aqui é apenas relembrar o pressuposto estético: o isolamento no tempo e no espaço de alguma coisa que representa outra, e assim cria uma terceira realidade.

Volto agora à questão pessoal, ao evento da vida. Muitas pessoas me perguntam se escrever *O filho eterno* foi uma terapia, se eu fiz uma catarse, se a escrita acertou contas comigo mesmo, se o livro me salvou, etc. O ponto central é a suposição de que ao decidir finalmente escrever um livro sobre um acontecimento pessoal eu teria entrado numa viagem confessional, feito um diário autêntico, verdadeiro, e, por meio dele, catarticamente, teria me curado das neuroses provocadas pelo nascimento do filho especial e suplantado o sentimento de luto que me envolveu como pai.

Bem, o fato é que literatura não é, não pode ser catarse, e aqui voltamos à distinção primordial entre evento estético e evento existencial. Qualquer bom escritor sabe que problema pessoal, por si só, não pode ser objeto literário; ele só entra na esfera da literatura quando deixa de ser pessoal; quando conseguimos nos afastar suficientemente dele para que ele se torne um objeto de observação; mais que isso, um objeto frio e distante de observação. Dizendo de outra forma: eu passei vinte anos lidando com um problema da minha vida chamado Felipe, um filho com Síndrome de Down. Esse duro acontecimento era, estritamente, *uma questão pessoal*, retomando o título da bela obra do escritor japonês Kenzaburo Oe, também sobre seu filho especial. Durante anos eu não conseguia transformá-lo em literatura – nem pensava nisso, na verdade –, porque ele era puro evento da vida; não era um objeto de observação distante; era um acontecimento transformador que me arrastava inexoravelmente com ele, modificando-nos a nós dois. Não havia tempo nem perspectiva para observar nada com frieza. No acontecimento vivo, nunca temos uma moldura à disposição para pendurar na parede e observar, uma imagem paralisante do que está acontecendo.

Do ponto de vista literário, a produção de um texto com peso artístico dificilmente será um processo terapêutico ou curativo, processo esse que só tem sentido quando imerso no evento da vida. São coisas bastante distintas – ou poderíamos especular anedoticamente que Van Gogh, depois de uma série de catarses realizadas por sua pintura, que teriam por algum milagre o mesmo efeito tranquilizador ou curativo de uma sessão psicanalítica, livrou-se completamente de seus problemas mentais e jamais pensou de novo em se suicidar, morrendo aos oitenta e dois anos, consagrado, realizado e rodeado de filhos e netos. Do mesmo modo, o poeta Maiakóvski, depois da produção de um grande conjunto de poemas catárticos, teria descoberto o sentido da vida, ou pelo menos que a angústia política da ascensão de Stálin não valia sequer perder uma noite de sono, e desistido completamente de se matar.

Confundir o processo existencial, que é o objeto técnico da psicanálise, com o processo estético, o objeto técnico do artista, é um equívoco. Há um lado técnico, objetivo, conceitual, na produção de um objeto de arte, que está completamente ausente da vida ela-mesma. O fato é que consegui escrever meu livro apenas quando transformei a mim mesmo em personagem, o que é um afastamento radical com consequências importantes. A principal delas é o fato de que o pai representado no livro tem apenas pontos de contato ocasionais com a minha biografia, mas é em si a representação finalizada e acabada de uma outra pessoa, que, por força da literatura, "faz sentido", de uma forma que eu mesmo, no evento aberto da vida, jamais farei. (Como, talvez, vocês já tenham percebido neste meu esforço de clareza...) Talvez eu possa dizer, mais uma vez com a imprecisão da metáfora, que o narrador que escreve o livro é, em alguma medida, o psicanalista distante que recompõe e dá sentido aos fragmentos disparatados do evento da vida.

Para encerrar esse nosso encontro, lembraria que, se é verdade que psicanálise e literatura têm objetivos diferentes, trafegam em dimensões distintas da produção de sentido, e representam intencionalidades diferentes, é igualmente verdade que ambas se alimentam mutuamente, vivem imersas na mesma família de perguntas que ao longo dos séculos continuam sem respostas exatas, e em boa parte giram em torno do mesmo conceito incerto de indivíduo. São duas atividades que se iluminam uma à outra. O analista que conheça literatura e que mergulhe no reconhecimento ficcional do mundo certamente ganhará em sensibilidade para afinar sua intuição do mundo real; e, igualmente, escritor nenhum pode ficar indiferente aos extraordinários caminhos que Freud abriu no nosso tempo para desvelar o caos da nossa realidade psicológica.

    Desejo a todos vocês felicidade nessa bela viagem que escolheram.

descaminhos da criação literária

Conferência de abertura do 2º Congresso Letras em Rede, na Universidade Presbiteriana Mackenzie, em 26 de agosto de 2015

Muito obrigado pelo convite para abrir com uma conferência este Congresso de Letras, o que me honra. Mas devo acrescentar que, na minha vida de escritor, a palavra "conferência", de uns anos para cá, passou a ter um peso um tanto assustador. Ao sair do mundo acadêmico, quando me demiti da Universidade Federal do Paraná, onde trabalhei duas décadas, para enfrentar a, digamos, "vida selvagem" aqui fora, deslocou-se imediatamente o foco do meu trabalho. A eventual performance do professor, que sustenta a vida acadêmica básica no seu dia a dia em sala de aula, atividade que acaba por contaminar, no bom sentido, tudo que ele faz, deu lugar agora à performance do texto e do livro, que é o verdadeiro objeto de interesse do escritor de ficção. Quando aparece em público, desvinculado da tradição e do direcionamento acadêmicos, o escritor costuma fazer "palestras", uma palavra bem mais leve do que "conferência"; ou, melhor ainda, ele participa de mesas-redondas ou simples bate-papos, uma sessão quase informal de perguntas e respostas, numa gradação hierárquica de eventos que vai do mais articulado e severo ao mais solto e bem-humorado.

Tudo porque, afinal, o que interessa é o livro – a fala do escritor ao vivo deve subsistir apenas como uma curiosidade. A partir disso, comecei a perceber, pelo uso frequente do cachimbo, que o livro é o meu álibi. Eu me escondo atrás dos livros que escrevi. Estou ali, entre as capas, no meio das páginas, posso dizer em minha defesa, diante de outros fracassos, com a certeza do criminoso bem-sucedido, e não aqui, contando história, conversando fiado e construindo com alguma habilidade e eficiência minha imagem pública.

Há mesmo quem diga que essa história de chamar escritores para falar em público, o que tem sido uma recente epidemia brasileira – aliás, uma epidemia bastante benigna, pelo menos para quem vive da literatura – seria uma inversão de valores, um achatamento vulgar da arte literária, um claro sinal de que a literatura se deixou definitivamente corromper pela sociedade de consumo e espetáculo. No Brasil, nunca tantos autores apareceram tanto em público, ao mesmo tempo em que algumas correntes teóricas contemporâneas rezam que, enfim, o autor está morto, para felicidade de todos. Temos apenas texto, um objeto frio à espera de um detetive; o resto é conversa. Ou nem mesmo "texto" no seu sentido autoral, unívoco; para alguns, teríamos apenas fragmentos de textos, e toda concepção centralizadora de autoria se deveria ao leitor, ao processo de recepção, supostamente o verdadeiro organizador de sentidos. Estamos sempre prontos e simpáticos a uma visão do apocalipse e uma teoria da conspiração. (Bem, faço aqui citações irresponsáveis, passando adiante uma algaravia teórica que me chegou em cacos, já num momento de distância acadêmica; mas quero fazer uma pequena profissão de fé neste terreno minado: eu não acho que o autor está morto ou que deve morrer; acho exatamente o contrário, que a literatura apenas sobrevive de fato quando consegue constituir um narrador, um eixo de valor através do qual o autor, de carne e osso, como âncora ficcional de referência, atribui um sentido ao mundo.)

Voltando ao tema, esta desconfiança da presença viva do autor como elemento crucial do objeto estético tem sua razão de ser. De um lado, a ideia subjacente de que a literatura é a sua própria torre de marfim; não interessa quem vive dentro dela e, portanto, a vida real do escritor é irrelevante. De outro, a intuição de que a atividade estética tem mesmo um forte componente ornamental que deve ser respeitado. E há outra variável, bastante recente: quem faz arte vive sob a insegurança de um mundo cultural em que as coisas estão se transformando tão rapidamente que as clássicas e tradicionais instâncias de controle da hierarquia estética estão perdendo poder. Estaríamos dissolvendo perigosamente a régua de valor estético, este cruzamento complicado de senso de medida com senso de punição que até aqui veio fazendo a história da literatura. A questão é que, hoje, parece que todos falam tudo ao mesmo tempo e em toda parte, e é claro que a literatura, há um bom tempo abandonada pelos deuses, não ficaria de fora deste caos informativo, ou deformativo, de acordo com o ponto de vista.

Para um certo olhar mais sério, ou mais desconfiadamente conservador, tudo isso, bem medido, deve pesar na instintiva relutância diante da voz literária que aparece alegremente em praça pública. O interessante é que, paradoxalmente, a presença *política* do escritor no debate público – uma forte tradição na cultura literária ocidental – parece que não mais encontra ressonância notável por aqui, exceto, talvez, quando o escritor já é um jornalista de profissão, e aí quem fala é antes o jornalista que o escritor. No Brasil, poderia até ser tema de um estudo acadêmico a comparação da presença pública e política dos escritores na vida do país antes e depois dos anos 70, que foram um divisor de águas bastante notável na nossa história.

Assim, por uma espécie de timidez seletiva, como escritor sempre me senti inseguro diante da palavra "conferência", o que não sentia sob a máscara oficial do professor, que parece nos conferir um outro estatuto, bem mais tranquilo e, digamos, regulamentado. Para um professor, as regras do jogo sempre são claras. Para um escritor, essas regras jamais são claras. E, se forem, talvez alguma coisa esteja errada com ele. Mas como não somos gavetas, uma coisa acaba por contaminar a outra, e eu não posso fingir que não sou afetado por acontecimentos da minha vida.

O tema aqui proposto – os descaminhos da criação literária (que eu havia pensado originalmente como a investigação do que nos leva a escrever) – é, em boa medida, uma questão impossível, o que o torna ideal para uma conversa literária. Haverá algum ponto em comum a unificar todos os escritores? É possível extrair daí uma raiz quadrada? Certamente não, mas podemos tentar, pelo menos, levantar as variáveis que entram em jogo sempre que alguém se mete a rabequista e começa a escrever algo que, pelo menos por princípio, não foi solicitado por ninguém.

Para centrar bem o tema, fica entendido que a escrita de que falo aqui é a da criação literária, criação ficcional e poética. Isto é, estamos interessados no que leva alguém a escrever, digamos, intransitivamente. É um detalhe importante porque sabemos que todos os usos e discursos da nossa cabeça comportam atos de criação; uma teoria científica, por exemplo, é um ato de criação, que interpreta o acaso. Cai a maçã na cabeça, e, por um estalo criativo, damos um sentido ao fato. Mas ciência e arte têm alguns pressupostos bastante diferentes – eu pelo menos sinto assim e trabalho com esta perspectiva, embora saiba que esta divisão não seja propriamente um assunto encerrado (aliás, no mundo das especulações teóricas, não existe assunto encerrado).

Talvez seja o meu lado antigo que me induza a colocar estas categorias em gavetas diferentes. (Este "antigo" tem a ver, provavelmente, com a cultura que formou a geração dos anos 60 e 70 – voltaremos a este ponto. Mas dá para adiantar que aquele período foi um momento histórico em que havia uma profunda desconfiança dos valores da ciência e uma grande aposta existencial no mundo não intelectual, na intuição, na performance e mesmo no simplesmente irracional como categorias mais autênticas para responder às necessidades da vida.)

Enfim, como costuma acontecer com as pessoas que transitam na nossa área de humanas, acabei trabalhando com algumas teorias de superfície estritamente para uso pessoal. Ao abandonar a vida acadêmica, a eventual nitidez de tal distinção deixou de ter sentido prático para mim, embora funcione como uma bússola em momentos formais como este em que se espera que eu diga coisas objetivas sobre o meu trabalho. É o peso da formação acadêmica, que deixa rastros para o resto da vida. Um ex-professor é como um ex-seminarista – não conseguirá nunca mais ocultar a origem.

No sentido prático, eu sei exatamente, ao escrever um romance, um conto ou um poema, que não estou fazendo ciência. Assim como eu sabia, nos meus tempos de professor, que ao aventar, por exemplo, uma especulação ou comentário teórico sobre a língua padrão do português do Brasil, eu não estava fazendo ficção. Embora, cá entre nós, haja muita ficção no discurso acadêmico, e muito provavelmente no que eu mesmo fiz nesta área, isso acontece mais ou menos à revelia. Na ciência, a ficção é sempre a intrusa, a indesejada. A ideia básica é separar bem as águas, e, em questões de linguagem, a simples intenção parece meio caminho andado.

Pois bem, criação literária não é ciência – chegamos a este primeiro *cogito* provisório. Vamos deixar de lado a observação óbvia de que nem sempre foi assim; talvez, fazendo bem as contas, esta ideia de separação entre criação lítero-poética e ciência seja até absurdamente nova na história da escrita; quase que nasceu ontem. A bem dizer, nasceu ontem. A fortíssima imagem popular de que o objeto livro é o lugar mais ou menos sagrado em que está a "verdade", e que portanto a leitura é um ato de absorver informações verdadeiras e edificantes, tem relação direta com a histórica função sagrada, ou sacralizada, da escrita, o seu sentido oficial de poder. A popularidade inesgotável dos chamados livros de autoajuda, semificções a divulgar lições de moral e comportamento, prova a sua força.

Ao mesmo tempo, resiste viva a ideia milenar, ou atávica, de que o reconhecimento objetivo dos fatos do mundo se confunde quase que sem hierarquia, nas escolhas pessoais, com o pensamento mágico, religioso, místico ou mítico, sendo todos parte de um mesmíssimo *corpus* cognitivo, no impulso de emoldurar a realidade e lhe dar sentido. Um momento pitoresco desta crise pode ser metaforicamente ilustrado, na virada do século 20, pelo caso exemplar de Arthur Conan Doyle, o imortal criador de Sherlock Holmes. Ao mesmo tempo que criou, na figura clássica do detetive, o herói moderno cartesiano por excelência, de inesgotável vitalidade ficcional – o representante simbólico do triunfo definitivo da inteligência pura no reconhecimento do mundo –, Conan Doyle foi um homem obcecado pela ideia de falar com os mortos e pelos experimentos espíritas, de que foi adepto fervoroso. Sua atração pessoal pelo além representava o desespero da ciência em dar conta do que não alcança; e, olhando do lado contrário, era o desespero do pensamento mágico em legitimar-se na ciência. Descontando-se o anedotário da fala dos mortos, todo escritor parece que se equilibra neste fio de navalha quando põe sua primeira palavra na página em branco.

Para que a ficção literária de prestígio (trata-se de uma distinção importante de gêneros, que agentes literários estrangeiros costumam fazer no comércio internacional dos livros: existe a literatura "literária" e a literatura de massa ou entretenimento, e elas raramente coincidem) quebrasse este antiquíssimo liame original (a literatura como expressão da verdade objetiva) e passasse a ter a imagem ou o *status* mais ou menos dominante que tem hoje, foi necessária uma imensa quantidade de fatores extraliterários, de natureza social, política, religiosa e econômica, que foram moldando o mundo contemporâneo desde a Renascença (para criar uma referência mais ou menos arbitrária) até os nossos dias. O que é assunto de especialista, não deste escriba, leitor diletante da História – mas algumas coisas são mais ou menos óbvias, já parte consistente de um certo senso comum entranhado na nossa percepção histórica. A literatura contemporânea em que estamos culturalmente imersos nasceu, cresceu, desenvolveu-se e hoje respira em certas condições sociais, econômicas, históricas e culturais bastante específicas e bastante recentes.

Do século 19 para cá, no Ocidente, a grande literatura formou-se sobre o conceito fortíssimo de "indivíduo", esta criação moderna, e de pleno direito à liberdade individual; daí decorre, igualmente, o conceito de separação entre Estado e religião, e, não menos importante, entre Estado e governo. Isto é, para os que ainda afirmam que a literatura não tem ou não deve ter relação com o mundo social ou político, basta ler os grandes escritores dos, digamos, últimos duzentos anos. Olhando com a lupa adequada, vemos neste conjunto monumental da inteligência ficcional do mundo a defesa visceral da liberdade contemporânea, da sua dimensão laica, individual e solitária. Há como que uma misteriosa pauta secreta que vai conectando a pena dos mais díspares escritores do mundo em torno de algumas pressuposições comuns, com raízes na criação de uma concepção de homem e de uma tábua laica de valores. Os pontos de origem são, sem dúvida, primeiro o Iluminismo, que se expressou concretamente na Revolução Francesa, e, segundo, o complexo movimento romântico – momentos históricos que se desdobram em centenas de ramificações que repercutem até os nossos dias. É claro que este ideário fortíssimo não costuma se expressar como panfleto ou literatura de propaganda (exceto na baixa literatura ou na literatura de Estado, como já aconteceu, especialmente no século 20, na produção de raiz soviética, em que o conceito de indivíduo submete-se a uma espécie de alma ou transcendência coletiva determinada pelo Estado), mas como um pressuposto discreto, mas indispensável, de sua própria sobrevivência como linguagem particular da criação humana.

Isto é, as obras da literatura moderna e contemporânea de prestígio postulam uma imagem da condição humana que, por mais profundamente diferentes que sejam com relação à geografia, cultura ou língua, por mais contrastantes que se revelem quanto aos temas, estilos, grau de fantasia, dos símbolos ou da intensidade da imaginação, tonalidade ou humor, senso de tragédia ou senso de comédia, confluem todas a um sentido de valorização da liberdade individual, da justiça e da dimensão ética da vida (de fundo laico) que as aproximam de uma espécie de irmandade transnacional – ou "globalizada", para usar uma palavra do momento. De que outro modo podemos ler *O processo*, de Kafka; *Os ratos*, de Dyonelio Machado; *Grandes esperanças*, de Dickens; *Os demônios*, de Dostoiévski; os poemas de Drummond e de Bandeira; a obra de Tanizaki, no Japão, ou a de Mo Yan, na China, ou de Pamuk, na Turquia – e ponham-se na lista os nomes que se queira, porque ela é virtualmente infinita –, senão como expressões extraordinárias deste ideário ao mesmo tempo difuso, impossível de se definir exatamente, e entretanto inconfundível? A irmandade literária suplanta até mesmo os seus autores, eles sim, figuras tradicionalmente avessas a irmandades ou, ao contrário, filiados a irmandades desagradáveis. Os personagens de Dostoiévski, por exemplo, são mais livres e democráticos do que o próprio autor. É um ideário presente até mesmo numa obra como *Viagem ao fim da noite*, com cujo autor, Céline, teríamos hoje imensa dificuldade moral para partilhar um cafezinho, pela sua vinculação com o nazismo francês; ou nos romances de Sartre, filósofo cuja defesa direta dos crimes do stalinismo e dos terríveis processos de Moscou revela a fissura ética de um humanismo que se institui acima da condição humana individual, assumida como detalhe irrelevante de uma História avassaladora. Pois, na literatura, a simples *história* é sempre maior que a História. Se, para a política, a ciência ou mesmo a filosofia, a abstração da "humanidade" é quase sempre superior à realidade dos indivíduos, na grande literatura só existem indivíduos.

Mas voltemos à viagem pessoal, à história de *h* minúsculo. Neste projeto – descobrir o que nos leva a produzir ficção –, cada escritor terá de fazer a sua autobiografia secreta, porque nenhum quadro geral dará conta de todos os casos; sabemos disso. Como eu disse, esta é uma questão impossível, e por isso especialmente interessante para quem escreve. Pois bem, a criação – a primeira variável de quem escreve – começa na leitura. Para tentar entender afinal este complicado processo de criação do conceito de literatura para uso próprio, começo a fatiar a mim mesmo em busca de uma origem, e chego à leitura, para começar de algum lugar concreto. Até os sete anos (ali no final dos anos 50, no interior do Brasil, um detalhe importante, um Brasil ainda predominantemente rural, agrário), não lembro de mim mesmo especialmente como um leitor – as imagens que me vêm da infância são revistas em quadrinhos e álbuns de figurinhas; e na escola primária, lembro de livros coloridos com histórias da Bíblia que, em dias especiais, chegavam até a sala para sessões de leitura.

Subitamente, a morte do meu pai virou minha vida tranquila e estável de criança bem cuidada de cabeça para baixo. Foi o primeiro choque intenso de infelicidade que me aconteceu, e a mudança mais ou menos traumática do interior de Santa Catarina para Curitiba completou o quadro, o primeiro grande momento de não-retorno da minha vida. Eu digo "choque de infelicidade" porque, como metáfora não tão metáfora, entendo que a infelicidade é um motor poderosíssimo para a criação literária. Só infelizes escrevem; ainda que, para ser justo, penso que é possível um final feliz, porque a literatura às vezes traz felicidade. Para os leitores, com certeza; para os autores, com alguma frequência. Esse sentimento traumático da minha vida fez de mim um leitor. Começava ali a construção de uma imagem literária.

Mas há mais elementos em jogo: a entrada na adolescência, que representa sempre, na vida de todo mundo, uma iniciação revolucionária. E ainda o ambiente histórico-social, voltando ao tema – nos anos 60, o país e o mundo passavam por transformações com consequências extraordinárias que ressoam até hoje na nossa vida. Na política brasileira, a implantação da ditadura militar em 64 e mais o sobregolpe de 68; como pano de fundo fortíssimo, a oposição EUA x URSS, e o apogeu da guerra fria. No mundo da cultura, o advento justamente da contracultura, começando a tornar realidade, por um rompimento agressivo com o velho *status quo* familiar, o triunfo final e definitivo da cultura anárquica do indivíduo, enfim dotado de todos os direitos e de poderes.

Na esfera da vida pessoal, os anos 60 assistem ao início da implosão da família nuclear burguesa clássica, uma estrutura insuficiente para dar conta dos sonhos das utopias conexas que, numa mixórdia globalizante, reuniam a descoberta das drogas como elemento libertador da escravidão da consciência, o novo papel moral da mulher, agora com a arma da pílula anticoncepcional recém-descoberta, e o seu novo espaço social, econômico e profissional diante de uma sociedade periférica, como a nossa, que se industrializava e se urbanizava cada vez mais. E as religiões tradicionais – no nosso caso, a Igreja Católica – também começaram ali a perder terreno em nome de um espiritualismo difuso, pessoal e sem hierarquia que começava a se espraiar, junto com os movimentos evangélicos pragmáticos, fragmentários e populares, captando o público que a velha igreja foi deixando para trás. Em suma, os anos 60 mudaram profundamente a cultura do mundo e sentimos suas consequências até hoje.

Faço esse quadro mais ou menos óbvio para situar o momento em que decidi me tornar escritor. Daria até para fazer um esquema estruturalista: uma infelicidade inicial (a morte do pai) provocou um deslocamento da zona geográfica de conforto (mudança para Curitiba), jogando-me num meio turbulento (dificuldades familiares e clima político do tempo absorvido via irmãos mais velhos) ao qual eu desde cedo precisava dar alguma resposta pessoal que dissesse para mim mesmo quem eu era. Por acaso, os livros entraram neste momento na minha vida, quase como um escapismo inicial, mas a empatia narrativa tem um poder transformador imenso na vida das pessoas.

As primeiras leituras são naturalmente marcantes; só recentemente, entretanto, pensei nelas com alguma frieza e distância: afinal, que marcas essas leituras deixaram? Qual a natureza desta primeira influência? O primeiro detalhe, muito importante, é que eram leituras feitas fora da escola – naqueles anos 60 ainda não existia o que hoje se chama de literatura paradidática. Na escola havia os livros de gramática, com amostras curtas de textos literários clássicos, unicamente brasileiros e portugueses, quase sempre servindo de gancho para exercícios de análise sintática ou temas de redação. As leituras que eu considerava realmente importantes eram feitas fora da escola, o que lhes dava uma aura de distinção pessoal, revolta e de autonomia, moldando já um simulacro de adulto; em boa medida, eram leituras feitas *contra* a escola, uma escola que, aliás, seria outra das estruturas que viriam a ser abaladas no redemoinho cultural dos anos 60. E, relembrando essas leituras iniciais, pequenas bíblias fundadoras da minha cabeça, atentei para um ponto em comum das minhas primeiras paixões literárias: o princípio racionalizante, ou iluminista, que estava por trás desses primeiros livros.

Lembro especialmente de três autores da infância: Monteiro Lobato, Júlio Verne e Conan Doyle (este pelas histórias de Sherlock Holmes). O ponto em comum desses três autores tão completamente diferentes é justo a pressuposição da razão iluminista como o mais alto valor humano de reconhecimento do mundo. São obras que, cada uma a seu modo, e apenas por força de sua empatia narrativa, defendem o poder luminoso da inteligência contra a superstição, o misticismo e o obscurantismo; que defendem a ideia de progresso como um valor absoluto da história humana; que mantêm uma tábua não relativa de valores morais, bem e mal perfeitamente delimitados; que privilegiam o senso objetivo de realidade, uma forma genérica, de uso comum, do método "cartesiano" de interpretação dos fatos do mundo. E, justamente por este cartesianismo europeu implícito, são também obras etnocêntricas, marcadas perifericamente por preconceitos típicos de seus respectivos tempos (por exemplo, a imagem do negro em Monteiro Lobato, a do judeu em Júlio Verne, a do bárbaro das colônias inglesas em Conan Doyle; digo perifericamente porque nenhum deles tinha a exclusão, a eugenia ou qualquer forma de ódio racial como *pauta* intelectual; eram imagens que faziam parte inercial do pacote cultural do tempo, e contra as quais trabalharia o próprio estímulo à inteligência que suas obras representavam).

Assim, olhando daqui, eu lia em solidão um ideário de sabor clássico, já rapidamente em vias de se tornar obsoleto, enquanto que, na vida real, absorvia outro ideário, bem mais intenso, que avançava em direção contrária e começava a implodir o que seria o tradicional e até então indiscutível império da razão. Acho que esta contradição de origem marcou cada palavra que escrevi. (Do ponto de vista literário-estrutural, digamos assim, lembro que havia outro ponto em comum em todas essas primeiras leituras e as leituras subsequentes em direção ao mundo adulto e que influenciaram também de modo marcante a minha imagem da literatura – a presença da *empatia narrativa* como parte essencial da prosa literária. O termo "empatia narrativa" é um tanto vago, mas digamos que ele se define pelo ato de aceitar a simulação de um mundo paralelo, experimentando a substituição momentânea do real por uma hipótese e mergulhando em suas consequências concretas.)

Dessas primeiras leituras, é claro, surgiu meu primeiro impulso de criação, o desejo de também escrever, mas submetido, como costuma acontecer, a uma boa dose de espírito do tempo que soprava fora dos livros. Compreendi o ato de escrever, ou, mais amplamente, o ato de fazer arte (o que, na minha pretensão adolescente, me colocava acima dos míseros mortais que me rodeavam), como um ato existencial, uma espécie de *performance*, de atitude na vida, em que a própria obra de arte, o texto escrito, seria como que uma consequência automática da vida singular que eu levaria adiante, vivendo-a na própria pele. Assim, deixar o cabelo crescer ou usar barba tinha tanta importância – em alguns casos, muito mais – quanto ler Goethe ou Machado de Assis. Bem, olhando daqui, isso é puro anos 60.

Abro um parêntese: aquele foi um tempo cheio de defeitos e fissuras de raiz romântica, mas tinha uma característica essencial – não foi uma época cínica. As pessoas, digamos, "avançadas", acreditavam profundamente nas fantasias que criavam, o que é verdadeiro tanto para a figura do *hippie* pretendendo viver "fora do sistema" quanto para o poeta altissonante de mesa de bar, ou o candidato a guru de uma comunidade alternativa qualquer, ou ainda (e não foram poucos) o soldado da causa comunista que abandonava tudo aos vinte anos de idade para entrar na luta armada e defender pela violência uma utopia totalitária que, a alguns olhos cegos e sonhadores, entre outros nem tanto, promoveria a redenção do Brasil.

Mudando agora o foco das circunstâncias para as intenções subjetivas, tenho por mim que é o desejo de ser escritor que faz o escritor, e não algum dom especial. Isto é, escrever é uma escolha que se faz. Mas, é claro, como toda escolha, ela depende de algumas inclinações pessoais que acabam por dar consistência a ela. Mas esta escolha, este ponto de partida, é a decisão essencial. No meu caso, ela decidiu-se antes mesmo que eu escrevesse algo consistente, o que só foi de fato acontecer anos depois da decisão estar tomada. Imerso no espírito do tempo, o ato de escrever que começava como imitação de leitor – eu comecei pensando em escrever histórias semelhantes àquelas que eu lia; escrever era um ato quase que direto de imitação – pouco a pouco passou a ser uma espécie de contraponto à infelicidade, não como mero escapismo, mas como o seu enfrentamento, um processo que, acredito até hoje, é o motor da literatura.

Esta fase de leitura e início de criação é – ou pelo menos foi para mim – um período especialmente selvagem, ou anti-intelectual. Entrei no mundo da escrita às cegas. Não estarei mentindo se disser que, de fato, não sabia bem o que fazia nem onde queria chegar. Apenas sentia que havia uma espécie de destino naquela tarefa que misturava doses de vaidade, um toque de independência arrogante e uma grande insegurança, uma combinação de temperos que jamais me largou completamente.

Bem, escrever é, ao mesmo tempo, ler e criticar. Mas agora o ato da leitura e da crítica ganha uma outra dimensão, como se aquele que escreve acabasse por criar um duplo insidioso que lê e avalia cada frase no momento mesmo em que ela vai ao papel. De fato, a qualidade do que se escreve está diretamente relacionada à qualidade do leitor e à qualidade do crítico. Eis por que, para o escritor, é absolutamente necessário este afastamento de si mesmo – o leitor ativo de seu texto já não é o mesmo leitor de Sherlock Holmes ou Julio Verne, que apenas se deliciava com o que lia. Um escritor que se delicia com o que escreve, no momento mesmo em que escreve, está perdido.

Não é apenas para si mesmo que se escreve, por mais que alguns escritores gostem de simular orgulhosamente esta independência. O leitor e o crítico do momento da produção literária são como que uma voz coletiva que ressoa no ouvido do escritor, um complexo sistema de referências culturais e estéticas (conscientes ou inconscientes – é melhor não esmiuçar agora este detalhe), mecanismos secretos de escolhas, omissões e censuras, que transformam, num pequeno milagre sempre incompleto, uma vaga ideia, uma sugestão, um impulso de criação em alguma coisa definitiva, em uma forma verbal única.

E no exato momento em que se consubstancia como forma escrita, o texto ganha uma súbita e inesperada independência – o rito de passagem da vaga ideia ou do impulso para a frase no papel reduz e limita drasticamente todos os complexos subtons de sentido que a pura ideia tem na cabeça, e se torna um objeto quase que imediatamente estranho, de referências agora concretas e brutas.

Nesta misteriosa mudança de código – que nem é exatamente da oralidade para a escrita, porque o processo mental da composição literária não funciona como uma oralidade presumida; nós não pensamos do mesmo modo como falamos; a própria oralidade é também ela concreta, de uma forma que o pensamento jamais consegue ser, aqueles pedaços de frases, conceitos e intenções que dançam na memória antes de tomarem forma – nesta mudança de código, eu dizia, que é a essência da criação literária, o escritor frequentemente descobre o que ele não sabia e que se revela na frase nascida diante dele.

Isto é, o ato de escrever *conforma* o escritor. A escrita passa a ordenar a cabeça do escritor, de um modo que lhe era totalmente inacessível antes dela. A escrita é apenas parcialmente uma "representação" de outra coisa, de uma realidade externa, um desenho verbal do mundo; na sua essência, ela é de fato uma máquina ordenadora e organizadora que, dando um sentido ao que, por natureza, não tem nenhum sentido por si só, o caos da realidade, transforma-se ela mesma em realidade e passa a, por assim dizer, "escrever" o escritor. Ou seja, ele se descobre no seu texto. A escrita é uma máquina externa ao escritor, uma tecnologia de transformação e criação de realidade – e de controle desta mesma realidade. Não podemos esquecer que a escrita é, ela mesma, uma criação humana, uma invenção humana, e não algo biologicamente inscrito na sua realidade ontológica.

Tudo isso digo agora, quase cinquenta anos depois da primeira palavra literária. Passei, na minha vida, mais tempo escrevendo do que fazendo qualquer outra coisa. Num cálculo por baixo, computando quinze romances, três horas por dia, vinte dias por mês e doze meses por livro, fiquei quatrocentos e cinquenta dias (dias completos, de vinte e quatro horas) escrevendo ininterruptamente. Para ser justo, quando eu vejo daqui, isso parece algo anormal ou mesmo desumano, o que reforça a ideia de que, de fato, é a infelicidade que move a literatura. E o assustador é que apenas muito recentemente eu passei de fato a viver deste trabalho; mesmo assim, de forma parcial.

Até aqui, falei da produção literária em estado bruto, como algo que se faz mais pela intuição do que por outra coisa, mas isso é enganoso, porque a literatura não é uma arte ingênua (na medida comparativa em que pode existir um pintor naïf ou um músico incapaz de ler uma pauta musical). Todo texto literário escrito já nasce imerso numa leitura histórica que lhe dá sentido.

Bem, houve um segundo momento da minha vida em que, de certa forma, eu passei para o outro lado do balcão, tornando-me professor da universidade. É um dado biográfico interessante, porque, quando jovem, recusei a universidade até onde pude, sustentando a ideia de que ela iria me destruir como escritor (até hoje não sei exatamente se eu estava certo nessa intuição juvenil...). Um gesto que, mais uma vez, fazia parte do pacote cultural da vanguarda dos anos 60 e 70, um mal-estar instintivo com qualquer forma de vida que me adaptasse ao que se chamava então de "sistema". Na verdade, aqueles tempos cultuavam a ideia do desajuste, da marginalidade, da incapacidade de adaptação e da transgressão como uma qualidade em si, uma espécie de ideário que parece reaparecer ciclicamente a cada nova geração. Havia um culto da adolescência eterna, o que desde então não saiu mais de cartaz.

Bem, num momento, por força da vida real, o sonho acabou, como disse John Lennon, e eu me tornei um professor universitário durante pouco mais de duas décadas, de meados dos anos 80 até recentemente, quando me demiti. A universidade, aliás, teve um papel importante no desenvolvimento, ou pelo menos no encaminhamento, da literatura brasileira de meados dos anos 70 em diante. Com a pressão da ditadura militar, a diáspora de intelectuais e escritores jornalistas e a própria transformação social do Brasil, com o crescimento das classes médias e a progressiva urbanização do país, a literatura brasileira acabou se refugiando na universidade. Surgiu a figura típica do "escritor-professor", uma novidade no panorama brasileiro; em geral escritores eram ou jornalistas ou funcionários públicos, e a própria universidade brasileira só cresceu significativamente pelo país a partir dos anos 70. Isto é, a universidade brasileira passou a estabelecer diretamente a pauta literária do Brasil, quase que como um programa de sala de aula. Este é um tema interessante que merece ser observado – isto é, em que sentido e em que direção esta passagem e mudança de cenário teriam afetado a nossa produção literária.

Pelo menos um fenômeno foi bastante claro neste período, por força da influência de um renascimento teórico de raiz formalista que invadiu o mundo e o Brasil no final dos anos 70 e em meados dos anos 80 em diante, primeiro pelo peso do movimento estruturalista, que dominou os estudos literários quase que num formato estritamente didático; e em seguida pelo ideário pós-moderno – ou perda dos eixos clássicos ou tradicionais de referência estética, mas não apenas estética; foi principalmente uma perda de sistemas de valor que ancorassem a percepção literária –, ideário que deu um perfil novo à produção brasileira de prestígio.

Se fosse para resumir numa expressão aquele momento complexo, eu o definiria como uma hipertrofia poética, ou, dizendo de outra forma, uma poetização da prosa, que, no Brasil, desenraizou-a do mundo social e de um certo diálogo coletivo em favor das formas mais radicais de subjetividade. Não sei dizer exatamente – é uma impressão de um momento histórico, diante da produção que ressoava publicamente e com a qual eu tive contato. Pelo menos um sintoma parece nos confirmar isso: a literatura brasileira em geral, especialmente a prosa, perdeu o seu leitor e a sua ressonância mais popular – basta conferir as listas de best-sellers da época. Claro, é preciso analisar esse dado com ressalvas, porque o período coincidiu também com uma ampliação da base de leitores, um leitor agora cada vez mais novato, por assim dizer, sem a memória cultural eventualmente herdada dos pais, porque se tratava de um público que pela primeira vez começava a entrar no mundo do livro e da leitura pela via da ampliação nacional do acesso à escola.

Talvez não seja exagero dizer que a clássica literatura brasileira do século 20 terminou com os nomes que despontaram até meados dos anos 70, sendo talvez João Ubaldo Ribeiro, falecido recentemente, o último grande exemplo daquela geração. Nas duas décadas seguintes, entramos num limbo de pouca ressonância coletiva, quase que acompanhando a chamada década perdida do final da ditadura e da era Sarney.

Pois bem, embora eu continuasse produzindo minha literatura enquanto sobrevivia como professor, e portanto familiarizado com o discurso teórico dominante, minha literatura se manteve relativamente fiel ao ideário narrativo mais ou menos conservador da minha formação. Parece que me fiz, como escritor, sobre uma tensão permanente entre a ideia fixa de um projeto romanesco pessoal, quase que fora do tempo, e o contato acadêmico direto com a modernidade do momento, contra a qual, sem saber, fui recortando a mim mesmo. E, talvez pela marca racionalizante das leituras da infância, jamais aderi ao típico relativismo pós-moderno (do que, aliás, não me arrependo, porque sempre pressenti nele uma inaceitável dose de cinismo, o seu pressuposto na área ética, que sempre estará presente em toda produção verbal).

Para me vacinar contra o excesso de influência acadêmica sobre minha criação literária, escolhi ser professor de Língua Portuguesa, e não de Literatura. Entretanto, mantive, durante muitos anos, uma atividade relacionada à crítica literária, escrevendo resenhas e textos críticos na imprensa, e eventualmente prefácios e posfácios de alguns autores. Isso também deixou marcas importantes. Comentar livros na imprensa significa de alguma forma organizar objetivamente uma tábua de valores estéticos, capaz de ser aplicada sobre a produção literária alheia. Digo "comentar" porque, desde logo, percebi que não tinha a vocação do crítico clássico, capaz tanto de elogiar quanto de demolir o que analisa. Em pouco tempo me limitei a escrever apenas sobre o que me agradava, ocupando o papel de um escritor que, através de suas leituras em voz alta, por assim dizer, acaba por indiretamente formalizar a sua estética pessoal. Aliás, penso que o exercício da crítica, mesmo que momentânea e acidental, é uma atividade imprescindível para quem escreve. Avaliar formalmente os outros nos educa para a própria avaliação.

Tudo somado, penso que a academia me influenciou como escritor sim, ao me familiarizar com aspectos formais da literatura que, na minha primeira fase, eram apenas intuídos ou ingenuamente pressentidos. E, de outro lado, o simples fato de ter sido professor durante mais de vinte anos me deu alguns ganchos temáticos e existenciais que acabaram por repercutir nos meus livros. Posso citar três deles em que o ambiente da minha vida diária acabou sendo pano de fundo romanesco: *A suavidade do vento*, sobre um obscuro professor perdido no oeste paranaense dos anos 1970; *Uma noite em Curitiba*, que tem como pano de fundo a vida acadêmica dos anos 80, e, finalmente, meu mais recente romance, *O professor*, que repassa a vida inteira de um velho catedrático brasileiro, prestes a receber uma homenagem. Tirando alguma lição simples desses três exemplos, basta dizer que o nosso ambiente, nossa profissão, nossa vida, nosso dia a dia, influenciam sim, muito fortemente, tudo o que escrevemos. Ninguém vive numa redoma. Por isso, o desejo primeiro de ser escritor talvez, por instinto, acabe de escolher o trabalho que melhor defenda e proteja o talento de quem escreve. Nesse sentido, pelo meu temperamento, dificilmente eu teria encontrado uma profissão melhor para me esconder, enquanto amadurecia minha literatura, do que a de professor.

Há mais dois aspectos que eu gostaria de ressaltar para fechar este breve apanhado pessoal. Um deles diz respeito à realidade brasileira recente; o segundo é a visão de mundo do escritor, e como ela se transfigura e funciona na ficção. No final dos anos 90, o advento da internet, concomitantemente à modernização do país que ocorria depois do Plano Real, mais o crescimento sempre contínuo da população urbana, mudaram completamente o panorama do livro no Brasil e do próprio papel do escritor. E há um terceiro dado, este de política cultural, que vem fazendo diferença desde o governo Collor, se alguma coisa boa veio de lá – a célebre Lei Rouanet e a legislação de renúncia fiscal em favor de eventos culturais. A literatura pegou uma carona fantástica nesta abertura. Hoje, não passa uma semana em que não haja pelo menos dois ou três eventos culturais em algum lugar do país. O contraste com o panorama da minha geração, dos anos 70 até meados dos anos 90, é gritante. Não havia absolutamente nada que estimulasse a vida autônoma do escritor – escrever era, antes de tudo, uma atividade acadêmico-ornamental.

E a internet – um fenômeno tecnológico e cultural que a rigor ninguém previu – substituiu rapidamente a televisão como agente civilizador de um país de substância iletrada. A televisão, que é inteira ágrafa, pura oralidade, teve um papel muito importante no Brasil nas duas ou três décadas anteriores à virada do milênio, e hoje está sendo substituída pela internet, um meio que abrange na prática todos os outros. Com uma diferença significativa: a internet inteira, toda a sua lógica, funciona em torno da palavra escrita. Ela nos obriga, a todo momento, a ler e a escrever, às vezes até bem mais do que seria saudável, toda hora conferindo o celular... Do ponto de vista cultural, é uma mudança de raiz, porque a palavra escrita voltou a ser um valor social altamente positivo no imaginário das pessoas. Não parece, mas isto é, de fato, uma revolução. Claro que há contrapartidas importantes a considerar, e que estão em pleno curso, o que dificulta um diagnóstico preciso. Uma delas, para ficar apenas no aspecto cognitivo, é o império do fragmento, tanto mais poderoso quanto menor seja a tradição letrada do usuário. A internet produz também uma cultura exasperante de impaciência. Do ponto de vista dos gêneros de texto, ela cria por si só um gigantesco nevoeiro supostamente de "fatos" – ela quase que realiza o sonho da morte definitiva do autor. A literatura – a imagem que tenho para mim do que deve ser a literatura para os nossos tempos – como linguagem, a literatura vai exatamente em direção contrária: ela é paciente, ela é imaginativa, ela é demorada, e ela afirma o narrador como um criador de hipóteses a partilhar com o leitor.

Enfim, vou tentar encerrar esta fala tateando sobre o que realmente faz da literatura, literatura – a visão do mundo do escritor. Vai uma pequena parábola, com certeza parcialmente falsa, mas tenho de terminar em algum ponto. Quando começamos, temos a ilusão de que a literatura serve para evocar e representar uma visão de mundo que, de alguma forma, está fora do texto, no mundo exterior, e precisa ser levada aos outros pela mão do escritor. Nós nos vemos, nesta fase, como uma espécie de mensageiros ficcionais ou poéticos da verdade. Com a prática da produção, e com o fluxo ininterrupto de fatos acontecendo na cabeça do escritor e fora dela (para descrever delicadamente o poder avassalador do tempo), mais o temperamento chucro da linguagem escrita, incapaz de se transformar imediatamente no que sonhamos e intuímos, passamos a ser escritos pelo texto – é ele que, frase a frase, vai nos dizendo o que somos e como funcionamos.

Naturalmente, a linguagem não fala sozinha – nós encontramos a linguagem viva na rua, e ela nos soa claramente como uma propriedade dos outros; em seguida, penosamente tentamos deixar a nossa marca pessoal e lhe dar algum estilo reconhecível; e, se as coisas dão certo, finalmente a linguagem nos devolve, por escrito, um mundo coletivo de formas e sentidos que antes não estavam em lugar algum, mas que, agora, misteriosamente, parece explicar e emoldurar o caos do instante presente, não exatamente como significado, mas como experiência. Literatura é experiência partilhada. A criação é, portanto, sempre este jogo de mão dupla.

E fico por aqui, mais ou menos perdido na minha própria teoria. Muito obrigado por sua atenção generosa.

literatura e autorrepresentação

Conferência apresentada na Academia Brasileira de Letras,
no ciclo Realismo em Questão, em 29 de agosto de 2017

1

Em sua *Introdução aos estudos literários*, publicada na década de 40, o teórico alemão Erich Auerbach, no capítulo que reserva a Michel Eyquem, o célebre senhor de Montaigne (1533-1592), sintetiza em uma frase o cerne motivador de sua obra: "A única coisa que o interessava profundamente era sua própria pessoa e sua própria vida; foi inteligentemente, deliberadamente, integralmente egoísta."[8] Seria esta uma definição biográfica negativa, com relação ao quadro cultural moralmente edificante que costuma ser atribuído ao mundo da literatura? Parece que sim. Tendemos a atribuir a categorias como "egoísmo" ou "autocentramento" qualidades negativas, num mundo

---

[8] AUERBACH, Erich. *Introdução aos estudos literários*. São Paulo: Cosac Naify, 2015, p. 270.

e numa vida que se querem e que se veem, do ponto de vista moral, como solidários, comunitários, ou mesmo socialistas; e, do ponto de vista interpretativo ou científico, como objetivos ou neutros — é um olhar que, por princípio ético, desconfia de si mesmo. Neste quadro, a ideia de alguém que, ao escrever, se dedique inteiramente a si mesmo – embora, bem pensado e bem pesado, na vida concreta seja exatamente isso o que todo mundo faz o tempo todo – parece desagradável, irrelevante, ou, em situações limite, até mesmo desprezível.

Claro que não é o caso do objeto de estudo de Auerbach. A maravilhosa descrição que ele tece em torno da vida e da imagem literária de Montaigne frisa o que havia de revolucionário na sua intenção autocentrada, pelas condições históricas do momento em que ele apareceu. "Montaigne", diz Auerbach em outro momento, "defende sua solidão interior", explicando que "não se trata de uma fuga do mundo no sentido cristão, e tampouco de ciência ou filosofia". Enfim, completa o crítico, "é algo que ainda não tem nome"[9]. O que Auerbach nos diz por vias indiretas é que a obra de Montaigne marca a passagem do mundo medieval – um mundo que pretendia uma absoluta estabilidade conceitual, moral, científica e religiosa, definida a priori, e no qual o indivíduo era, por assim dizer, algo que em última instância se reduz a pó – para um mundo que começava a abalar todas as certezas, numa viagem sem volta que prossegue até hoje, cinco séculos depois – e no qual a valorização do conceito de indivíduo, mais tarde já numa plataforma ativamente política em defesa dos direitos pessoais, começava a se esboçar como um dos objetivos centrais da vida social.

---

9 AUERBACH, Erich. *Ensaios de literatura ocidental*. São Paulo: Duas Cidades/Editora 34, 2012, p. 148.

Obviamente, há coisas demais para se considerar nessa passagem e nessa mudança radical de perspectiva, a anos-luz da competência deste escriba. Fiquemos apenas em dois ou três pontos básicos escolares, seguindo mais a intuição que a ciência. Preocupar-se com a condição humana é, por si só, a essência da representação literária, em qualquer tempo histórico. A revolução de Montaigne está no fato de fazer de si mesmo o objeto de seu olhar, e de um modo tão sincero, ostensivo e radical que ele acaba por extrair um retrato do mundo a *posteriori*, um retrato impressionista, inseguro, e, por isso mesmo, tão fascinante aos olhos de seus contemporâneos (os Ensaios foram um best-seller na época), apenas depois de testá-lo na sua própria realidade íntima.

O escritor Montaigne é, assim, ao mesmo tempo o narrador que observa e o objeto observado. Os seus *Ensaios* representavam algo realmente inédito – em boa medida, ele havia criado, com sua obra, um novo gênero literário, a partir da excentricidade de suas próprias regras. Se sua retórica herdava o clima clássico greco-romano que os ventos de sua época faziam renascer, pela abundância típica de citações e casos exemplares, o que estava perfeitamente de acordo com o espírito do seu tempo, em tudo o mais lia-se um "puro e único Montaigne". Tudo o que ele dizia soava como algo novo: a liberdade intelectual, a flutuação das questões morais, a percepção relativista do mundo, o senso de humor diante de assuntos tradicionalmente graves, e até mesmo o descarte de fundações metafísicas (Deus, céu e inferno entram ali de raspão, mais por hábito respeitoso do que por sólida reverência, e jamais como pressupostos de nada) – e, o que é especialmente interessante para o nosso tema, a revolução decorria justo do fato dele escolher, como objeto de representação, não um simulacro sublime do homem, um modelo idealizado de referência segundo algum quadro filosófico ou religioso pré-existente, mas exatamente a si mesmo, no chão comezinho, biográfico, da própria existência, em seu instante presente. O seu objeto, que ele parecia copiar detalhadamente como um artista plástico observando-se ao espelho, era tanto o cultor nefelibata dos clássicos, que a reiteração de citações deixava entrever, como alguém que sofria de pedras no rim e partilhava esse sofrimento miúdo com o seu leitor. Não há detalhe da vida cotidiana, por mais insignificante, que não mereça a atenção do seu olhar. E, nesta viagem de autorreconhecimento, está sempre presente um contínuo sopro socrático do "só sei que nada sei". "Meus atos", diz ele, "condicionam-se ao que sou; não posso fazer mais nem melhor, e o arrependimento não se aplica às coisas que estão acima de nossas forças. No caso, poderia quando muito lamentar a minha condição". Ou: "Não é uma mancha que há em mim, é minha cor natural". [10]

Por essas características marcantes, poderíamos nomear Montaigne como o santo padroeiro daquilo que se vem chamando, de alguns anos para cá, de literatura de "autoficção" — o texto em que o autor toma a si mesmo como objeto do olhar, numa fusão em que o objetivo e o subjetivo perdem sua aparentemente nítida fronteira. Voltaremos a esse ponto mais adiante.

Bem, antes que me acusem de eurocêntrico, ou, ainda mais grave, de sexista, eu gostaria de lembrar um outro nome, de uma mulher, e do outro lado do mundo, no Japão, e, para completar, de um período cerca de quinhentos anos antes de Montaigne, e – ainda mais, para não me agravarem com a terrível pecha de elitista – de um estrato social muito

---

10 MONTAIGNE, Michel de. *Ensaios*. São Paulo: Nova Cultural, 1996, p.161.

abaixo do autor de *Ensaios*. Trata-se de uma dama da corte do período Heian, de nome Sei Shônagon (c. 966-1020), que escreveu uma obra chamada *O livro do travesseiro*, que poderia, com alguma licença poética, ser considerada a precursora universal do gênero de Montaigne.

Lendo Shônagon, impressiona como, no coração do poder de uma sociedade completa e profundamente estratificada e ritualizada, num grau de formalização muito mais rígido do que a da tradição hierárquica do Ocidente, um olhar incrivelmente independente observe o mundo em torno tendo como régua de referência e valor quase que apenas a si mesmo. E, também para ela, não há nada na vida cotidiana, por mais irrelevante ou desprezível, que não mereça a atenção de seu olhar. No caso dela, cabem exatamente as palavras que Auerbach dedicou a Montaigne: "A solidão interior é sua própria vida, seu existir em si e consigo mesmo, sua casa, seu jardim e sua câmara de tesouros. (…) lá elabora e impregna tudo com o tempero de seu ser".[11]

Para o nosso olhar – tão radicalmente distante no tempo, no espaço e na cultura do mundo de Shônagon –, trata-se de uma obra a um tempo monumental e de uma estonteante simplicidade retórica. Seria uma tola presunção eu pretender afirmar aqui qualquer coisa sobre ela, um monumento fantástico da linguagem e da cultura orientais. Basta provocar o leitor relatando que, no livro, encontramos trechos assim: "O homem, sim, é um ser deveras singular e de coração bem suspeito. É estranho como ele pode abandonar uma mulher muito bonita para viver com uma feia".[12] Ou: "Os Tenentes da Direita e da Esquerda da Guarda do Portal foram apelidados de 'Oficiais de Polícia', de tão terrivelmente temidos e reverenciados que eram".[13]

11 AUERBACH, op. cit., p. 148.
12 SHÔNAGON, Sei. *O livro do travesseiro*. São Paulo: Editora 34, 2013, p. 424.
13 Ibid., p. 492.

Ou ainda: "Coisas que provocam inveja. Ao aprender sutras, avanço pouco e esqueço muito, tenho de ler repetidas vezes os mesmos trechos. Para um monge, é óbvio, é seu ofício, mas há homens e mulheres que os leem com fluência e facilidade, e penso se serei como eles um dia".[14] Ou, quando faz uma lista singela de "coisas que constrangem": "Ser obrigada a ouvir, sem poder impedir, assuntos indiscretos comentados num aposento dos fundos, quando se está entretendo visitantes".[15] Para não me alongar, fecho com uma última citação das coisas que constrangem, perfeita para este momento: "Ignorantes com ares de conhecedores que citam autores célebres frente a eruditos".[16]

Obviamente, comparar Montaigne com Sei Shônagon equivale a comparar laranjas com bicicletas, sob praticamente todos os aspectos. Basta citar dois breves abismos: a ausência da herança cristã, na conformação religiosa, que teve presença esmagadora na formação do mundo de Montaigne, e, igualmente, a ausência da enciclopédia greco-romana, da qual, aliás, o cristianismo é inseparável, e de onde Montaigne vai extrair os fundamentos de sua visão de mundo revolucionária. Sei Shônagon às vezes soa como uma estranha Eva num paraíso luminoso antes do fruto do bem e do mal. O ponto em comum que pretendo frisar, entretanto, é o misterioso mecanismo de representação literária e as variáveis que estão em jogo no processo de escrever o mundo. Isto é, a hipótese que aqui se levanta é que o gesto de autorrepresentação é parte integrante da linguagem escrita. Dizendo de outra forma, deliberadamente exagerada para forçar o contraste: todo uso da linguagem escrita é parte da autorrepresentação.

14 Ibid., p. 295.
15 Ibid., p. 92.
16 Ibid., p. 92.

Sei que é coisa demais para dar conta, no entanto, tentamos mal rompe a manhã, como diz o poeta. Deixo esta primeira ponta solta desta conversa e sigo adiante.

2

Pensemos inicialmente no momento chave da passagem crucial da oralidade para a escrita. Antes de mais nada, estamos sozinhos. Escrever é um gesto de essência solitária, um momento não partilhável. E escrever nem é propriamente uma passagem direta da oralidade. A oralidade viva conta sempre com um interlocutor imediato, presente, atuante, conduzindo em cada entonação a direção da nossa fala.

Mas quando pegamos a caneta para escrever literatura – vamos ficar com a imagem clássica, o papel, a pena, a tinta, e mesmo a própria literatura, este valor antigo – estamos sós; o que temos é uma imagem mental da linguagem, a memória sintática das formas da oralidade, com as quais projetamos das sombras o nosso texto ainda inexistente. Trata-se de um fantasma, e um fantasma em ruínas, porque nem remotamente a abstração mental das construções da memória e de suas frases avulsas e incompletas, povoadas de anacolutos ansiosos, consegue dar conta do que de fato imaginamos ou sonhamos no momento da decisão de escrever.

A primeira palavra escrita começa a duplicar o mundo, o nosso mundo exclusivo. Nós estamos aqui, o mundo está ali, e começamos deste ponto, por assim dizer, como dois estranhos um ao outro. O mundo não se apresenta por si só – ele não nos fala, não nos diz nada; em princípio, ele não tem nem nome. É como se estivéssemos permanentemente diante de um conjunto de objetos disparatados, de presenças intrusas e opacas. Nós é que temos de dar nome às coisas, iluminando-as e relacionando-as. Para essa tarefa, entre nós e o mundo, amontoadas, estão as palavras, o intransponível mural originalmente sonoro no qual vivemos imersos.

O problema é que, como diz Sei Shônagon, "há coisas que são simples quando vistas, mas complexas quando escritas"[17], e, como quem tateia uma prova concreta, ela nos apresenta uma enumeração absurda de exemplos, que certamente inspirou Borges: *Framboesa japonesa. Comelina. Lótus selvagem. Aranha. Nozes. Eruditos de Altos Estudos.*

Entre o olhar que vê, e o objeto que se representa, escreve-se a palavra, que, no mesmo instante, não será mais nem exatamente o objeto (embora o objeto esteja presente na palavra, uma sombra mais ou menos nítida), nem exatamente o olhar original (a coisa parece cristalina, antes de escrita, mas assim que se congela, torna-se parcialmente outra coisa, tingida de estranheza; ocorre uma espécie de envelhecimento instantâneo, um escurecimento sutil, como papel fotográfico virgem exposto à luz súbita). Na verdade, nós criamos alguma coisa nova que se coloca, com uma vida parcialmente autônoma, entre o objeto e o nosso olhar. O mundo se duplica.

Esta coisa nova, ao mesmo tempo autônoma e dependente, que é a palavra escrita, passa, ela também, surdamente, a agir sobre o mundo.

E agir, muito especialmente, sobre o próprio escritor.

Vou deixar esta segunda ponta solta – o fato de que as palavras que escrevemos agem recursivamente sobre nós mesmos (e não estou me referindo à superfície, digamos, jurídica das palavras, o seu efeito social, que também, obviamente, existe; refiro-me a uma ação intimamente transformadora, porque, para o olhar que vê a si mesmo, o

---

[17] Ibid., p. 291.

objeto é tão estranho quanto a pedra ou a nuvem que está adiante ou acima dele) –, vou deixar esta ponta também solta para considerar outro aspecto que parece entrar em jogo nesta viagem da representação.

3

Reconheço: afirmar que "tudo é autorrepresentação" facilita demais as coisas para este escriba. Afirmações assim fazem parte da falácia argumentativa que vive à sombra das totalidades indeterminadas, que, se são úteis aqui e ali na conversa solta de todo dia, não resistem a um mínimo de rigor conceitual.

Entre nós, as coisas e as palavras, existem dois outros aspectos que são presenças inseparáveis de tudo que se escreve: a figura do leitor e o espírito da intenção, digamos assim, tateando este impulso que nos leva a escrever algo. Intenção e leitor são mais ou menos inseparáveis. Neste exato momento em que escrevo – ou que escrevia, uma vez que esta leitura distanciada já é outro momento, com sua pátina de estranheza –, tenho uma intenção objetiva (digamos, desvencilhar-me da tarefa em que irresponsavelmente me meti, discorrer na Academia Brasileira de Letras sobre a relação entre literatura e autorrepresentação), e a imagem de um leitor, agora ouvinte, a quem devo a reverência de fazer sentido.

Tanto uma coisa quanto outra são partes inextricavelmente inseparáveis da produção do texto, de uma clareza aparentemente pedestre: todo texto tem uma intenção e se dirige a alguém. O problema das classificações é que ele é um problema estritamente nosso, não das coisas em si, nem do mundo, nem das pessoas, nem da vida, seres que simplesmente *estão aí*, na clássica imagem do filósofo. E cada vez que inventamos uma categoria para classificar a presença do mundo, uma espécie de duplo imediatamente se interpõe para nos desmentir.

Pensemos, por exemplo, na *intenção* do texto. É relativamente simples definir a intenção de uma bula de remédio, de uma notícia de jornal ou de uma peça publicitária. Mas com que intenção escreveram-se *Vidas secas* ou *Grande sertão: veredas*? Ao tentar responder, entramos de imediato numa nuvem de ambiguidades – no terreno literário, a intenção é um monstro difuso e multifacetado. Consta que Cervantes escreveu *Dom Quixote* com a intenção de ridicularizar as novelas de cavalaria, e é mesmo possível que ele tenha tido exatamente esta intenção miúda ao começar a escrever seu livro, mas reduzir sua obra ao foco desta intenção seria de um absurdo atroz. Qual foi a intenção de Sei Shônagon ao escrever estas linhas, enumerando coisas que nos deixam alegres: "Juntar os pedaços de uma carta que alguém rasgou e abandonou, e conseguir ler uma sequência de várias linhas; ter um sonho indecifrável que esmaga o coração de pavor e receber a interpretação de não se tratar de nada especial causam muita alegria"?[18].

"Uma carta que alguém rasgou" ou "um sonho indecifrável que esmaga o coração de pavor" são expressões que mantêm um potencial de sentido que permanece vivíssimo mil anos depois de Sei Shônagon; a sua simples elocução parece criar um cenário novo instantaneamente na cabeça de quem ouve. Na boa literatura, a palavra escrita sempre sabe mais do que o seu autor e sobrevive a ele. E eu acredito que esta afirmação não seja uma simples metáfora. Porque, lado a lado com a intenção, e inseparável dela, está a figura do leitor, que é realmente a faísca dos sentidos – é apenas nele que o texto vive.

18 Ibid., p. 432.

Vamos pensar um pouco sobre o leitor. No seu sentido prático, o leitor é uma figura neutra, um completo desconhecido que abre nosso livro e lê nosso texto a uma distância segura. Nada sabemos dele, exceto que, pelo menos enquanto estamos vivos, compartilha nossa língua e, em boa medida, de nosso tempo e de nossa cultura. Mas há um outro leitor, este secreto, quem sabe insondável, mas não menos presente, que acompanha nosso texto no instante mesmo em que ele se escreve. É este que me interessa especialmente.

Obviamente, este leitor é o próprio escritor. Vamos nos deter neste momento-chave da escrita: esse primeiro leitor misteriosamente não se confunde por completo com o escritor. A verdade é que, no momento da escrita, não lemos o nosso texto com os nossos próprios olhos. Uma espécie de entidade coletiva, um tribunal de júri (digamos assim), assume nosso olhar, e com tal autoridade que nunca nos sentimos perfeitamente livres ao escrever – sempre escutamos o que este leitor, essa nossa sombra, tem a dizer sobre o que colocamos no papel.

Claro que isso não funciona sempre com a mesma intensidade, como uma máquina monótona a girar regularmente; há gradações importantes. Este leitor oculto pode ser em momentos tão forte que nos impeça a escrita, ou nos obrigue a riscar o que foi escrito, como também tão amigo e afável que nos permita derramar páginas seguidas sem pensar nele, quase que totalmente à solta, felizes da vida. Em qualquer caso, esse leitor está lá, nos vigiando. Ele é uma espécie de coautor do texto. E uma presença inescapável – mesmo quando, num arroubo juvenil, o escritor diz a si mesmo que despreza o leitor e não dá a mínima para o que ele vai pensar do que escreve, esse leitor objetivo e social que ele tem em mente, alguém que vai ou não comprar o livro na livraria, não é de fato o leitor de que falamos aqui, aquele que lê o que escrevemos no momento em que escrevemos: o nosso duplo.

Num certo sentido, este leitor duplo sabe tanto ou até mais do que nós mesmos – ressoa nele um saber social impressentido que impregna cada palavra que escrevemos. E, da mesma forma, o objeto da nossa representação, embora não diga nada, no seu silêncio tranquilo, não é de forma alguma uma tábula rasa sobre a qual podemos dizer qualquer coisa: o objeto sempre resiste às nossas investidas de sentido. O mundo já se apresenta a nós embebido de milhões de palavras, tonalidades, opiniões e máscaras. Já se disse quase tudo sobre tudo – falta apenas a nossa palavra. É exatamente esta sensação, ou presunção, dependendo do ponto de vista, que nos leva à aventura literária.

4

Aventura literária: o ouvinte que me acompanhou até aqui já deve ter percebido uma falha primordial, entre outras tantas, na organização deste arrazoado – o fato de que, considerando a passagem da oralidade para a escrita, a natureza do objeto do texto, a intencionalidade do escritor e a presença dupla do leitor, o leitor desconhecido que lê o resultado final e o leitor íntimo que acompanha cada linha escrita no momento em que eu escrevo; considerando todos esses aspectos, esqueci da discriminação elementar da natureza dos textos. Ainda há pouco afirmei que sabemos exatamente qual a intenção de se escrever uma bula de remédio, mas não a intenção de se escrever *Dom Quixote*. E, entre um limite e outro, a absoluta objetividade e a absoluta subjetividade (se coisas tão nítidas assim fossem possíveis), ou entre o "foi exatamente assim" e o "era uma vez", há uma multidão de textos em busca de uma gaveta classificatória.

Ao contrário dos formalistas radicais que imaginam poder classificar os textos pelos textos em si, pressupondo que as formas da linguagem definem-se a si mesmas, eu penso que são justamente os aspectos extraliterários que dão a medida do que é ou não literatura. Bem, a falha a que me referia está no fato de que, embora Montaigne e Shônagon sejam classicamente considerados "literatura", e alta literatura, de modo algum nós os consideramos autores de "ficção". Bem, é possível que hoje eles sejam aqui e ali classificados como "autores de ficção", mas, neste caso, haveria uma evidente liberdade metafórica, quase que um argumento *ad hoc* em nome da, digamos, nossa liberdade interpretativa, sem os grilhões acadêmicos; certamente será preciso erguer alguns andaimes poético-retóricos para justificar que Montaigne ou Shônagon escreveram "ficção". O mais provável é que chegássemos a esta definição ao fim e ao cabo de uma espécie de arroubo niilista, um "tudo está em tudo" libertador, basta de gavetas!

Vamos refletir um pouco sobre esta fronteira crucial. É verdade que muitos trechos dos *Ensaios* e d'*O livro do travesseiro* poderiam ser considerados, recortados de seu contexto original, como textos literários de ficção, ou pela linguagem eventualmente eivada de traços poéticos, ou pelo fragmento de história que se conta, aqui e ali, emulando estruturas ficcionais, à sombra do "era uma vez". No entanto, sabemos sem nenhuma dúvida que não foram obras concebidas como ficção. Embora em muitos momentos empreguem recursos ficcionais, há como que um firme contrato entre escritor e leitor estabelecendo, por princípio, uma *pressuposição de verdade*. O que seria isso? Seria basicamente a determinação implícita do escritor de manter-se, de modo estrito, no terreno da verdade factual.

Sei que este é um terreno minado: nada mais difícil, incerto, enganador e etéreo do que a chamada "realidade factual"; no entanto, ela existe. Eis, enfim, uma "fundação": partimos daqui. Mas o que me interessa neste momento não é a coisa em si, a determinação da ciência; o que me interessa é a voz da intenção. Shônagon fala de demônios e exorcismos, de sonhos premonitórios, e ela os trata como fatos reais e concretos; é o que basta para mim. Todo o seu texto dirige-se ao leitor e se articula como pressuposição de verdade, e é exatamente neste alicerce sincero que a obra se ergue, o que me autoriza a chamá-la de uma obra de "não ficção". O mesmo ocorre com os *Ensaios* de Montaigne. Ele pode estar enganado em muitas coisas e até cometer erros crassos factuais ou interpretativos, mas em nenhum momento ele abre mão da pressuposição de verdade, que é a diretriz de sua linguagem. É o suficiente para eu defini-lo — neste quadro que imagino agora – como não ficção.

Paralelamente, sempre que esta pressuposição de verdade não é "contratada" entre autor e leitor, estaremos diante da ficção. Claro que um autor pode mentir; dizer que se trata de fato real o que ele sabe objetivamente que não aconteceu; e ele também pode, como no teatro de Hamlet, tratar no divertido palco da corte como ficção o assassinato que de fato existiu, e do exato modo como aconteceu.

Mas deixemos a exceção extrema e as firulas sofísticas de lado para trabalhar com este conceito mais elementar de pressuposição de verdade, que costumo estabelecer para uso próprio, sem pretensão maior, e que partilho aqui de modo a enfrentar o tema da autorrepresentação literária. Em especial, da autorrepresentação que transborda de seu estrito limite biográfico e entra no terreno deliberadamente ficcional.

5

Os gêneros literários não costumam existir por desejo pessoal, por simples arbítrio do escritor. O impulso classificatório que se perde na história contabiliza não mais de uma ou duas dúzias de formas composicionais que neste ou naquele século se tornam camisas de força, em outros caem em desgraça, transformam-se e refazem-se e renascem adiante como balizas concretas de intenção e sentido. Escrever uma única palavra que se inscreva no espírito da literatura significa, queira-se ou não, assumir formas históricas, sociais e coletivas, previamente estabelecidas, que lhe garantem o estatuto literário desejado. Aliás, literária ou não, parece que é o gênero que antecede o sentido da palavra. Em qualquer situação da vida concreta da linguagem, no nosso dia a dia, parece que estamos mais atentos a ele do que ao sentido avulso do que ouvimos. Na mais informal das conversas, precisamos antes localizar ou pressentir o gênero do que ouvimos para então sintonizar a nossa própria voz. Na literatura ou fora dela, o gênero é um imantador poderoso de sentidos que arrasta as palavras para seu arcabouço social no instante mesmo em que elas se anunciam.

Justamente por não ser fruto de um arbítrio pessoal, as formas genéricas e organicamente encadeadas são ecos poderosos da sociedade e do tempo em que se escrevem, se criam e se inventam. Podemos dizer que a fronteira entre ficção e não ficção é um senso comum intuitivo, a fronteira elementar que, sem metafísica, toda criança entende diante de um simples olhar dos pais. Mas este senso não permanece tão óbvio ao entrar no mundo da literatura.

Vamos refletir, enfim, tentando agora juntar as pontas que fui deixando soltas pelo caminho desta conversa, sobre as formas da autorrepresentação, pensando especificamente em um subgênero (o "sub" aqui tem tão somente o caráter de ramificação, sem qualquer juízo de valor) que vem sendo chamado de "autoficção".

A expressão "autoficção", como definidora de um gênero literário, é relativamente recente. O termo foi criado por Serge Doubrovsky nos anos 70 para designar uma obra ficcional que toma como objeto o próprio autor e fatos reais de sua vida. O próprio Doubrovsky esclarecia que ele não estava inventando nada – apenas conceitualizando um gênero que já existia antes dele. Os anos 60 e 70 foram pródigos, especialmente via França, e com reflexos bastante fortes entre nós, na criação de uma rica terminologia lítero-gramatical para a definição de fenômenos literários, seguindo os estudos que recolocavam em pauta os princípios teóricos do chamado formalismo russo, o movimento crítico que revolucionou os estudos da linguagem literária no início do século 20.

Neste embalo, a academia se encarregou de classificar o conceito de Doubrovsky como um capítulo importante da teoria literária. Embora o próprio Doubrovsky tenha praticado o que ele chamava de autoficção, não foi propriamente a partir dos seus livros que o termo ganhou relevância. Talvez a obra interessantíssima do também francês Emmanuel Carrère, que começou a publicar nos anos 80, tenha dado uma relevância especial ao conceito definido por Doubrovsky. Carrère, em obras como *O adversário*, de 1999, e *Limonov*, de 2011, baseadas diretamente em personagens reais, que transitam fortemente entre o ensaio e a ficção, e que incluem a participação direta do próprio Carrère, parece ter formatado um novo gênero romanesco em que a fronteira entre o ficcional e o não ficcional decididamente se rompem de uma forma, digamos, sistêmica. Até aqui eu o considero um "ensaísta ficcional", alguém que trabalha sob uma estrita "pressuposição de verdade", mas usando formas composicionais ficcionais.

Não menos importante, o narrador se apresenta diretamente como o próprio Carrère, com detalhes biográficos às vezes desconcertantes de tão sinceros, e de um modo quase desconfortável para um leitor zeloso das formas composicionais clássicas já estabelecidas (isso especialmente quanto à fronteira ficção e não ficção, já que outras transgressões formais modernas estão perfeitamente entranhadas no senso comum do leitor mais letrado contemporâneo). O leitor, indócil, se pergunta: mas isso é ficção ou não? No fundo, trata-se de um desconforto diante da "pressuposição de verdade". Como se o leitor, hoje, pudesse aceitar tudo de um texto literário, todos os rompimentos e transgressões formais e composicionais – exceto que o "estatuto literário" não se revelasse cristalino desde o início. Isto exigiria um estudo à parte – o que, mais uma vez, está longe das pretensões deste texto. (Curiosamente, acontece o fenômeno contrário no mundo da cultura literária de massa, dominada pelo leitor desvinculado ou desinteressado da tradição histórico-literária clássica – ele gosta de ler livros e ver filmes "baseados em fatos reais". Parece que esta simples informação na capa do livro ou no cartaz do filme tem um efeito publicitário bastante positivo. Nesses casos, o amor ao realismo é levado ao pé da letra.)

Pois bem – voltando ao tema, o termo "autoficção" popularizou-se na virada do século 21 e se transformou no mundo acadêmico numa categoria crítica bastante produtiva, aparecendo crescentemente em trabalhos teóricos, teses e dissertações. Em princípio, parece, tratava-se apenas de uma condição formal, a ser resolvida teoricamente, sob a frieza da ciência da linguagem: como resolver a ambiguidade de um narrador que no próprio texto se assume também como autor, confundindo-se biograficamente com ele no terreno da verdade factual, embora a estrutura composicional da obra se mantenha ficcional, conforme as convenções clássicas e tradicionais do gênero?

Como costuma acontecer com as novidades teóricas no mundo da academia, o conceito de autoficção tornou-se uma espécie de moda, reproduzindo-se nem sempre criticamente na vasta produção teórica do mundo oficial das letras. Ao mesmo tempo, passaram a se multiplicar também as obras que se apresentavam como autoficção, já na esteira de um outro fenômeno: a disseminação impressionante dos espaços da internet, onde blogues pessoais transitam livremente entre os gêneros ao acaso de uma produção infinita e onipresente. Toda uma nova geração de escritores se fez e está se fazendo sob a sombra da internet, o que, é claro, terá consequências importantes sob qualquer aspecto que se considere, desde os estritamente formais, decorrentes da fluidez do meio digital e suas características, até os extraliterários, como o próprio comércio de livros e modos de acesso à leitura que estão debaixo de uma revolução profunda cujos efeitos práticos ainda desconhecemos.

Uma certa reação também logo se fez sentir nos estamentos de prestígio acadêmico entre nós (na verdade, não tenho informações sobre este tópico fora do Brasil, mas imagino que a reação tenha sido semelhante, já que o mundo universitário é uma república universal culturalmente bastante homogênea): a autoficção seria uma espécie de reflexo perverso da decadência moral, via narcisismo sem freios, dos nossos tristes tempos. Bem, considero essa crítica moral uma bobagem. Do ponto de vista formal, a autoficção tem raízes longínquas na história da literatura, como vimos nos exemplos de Montaigne e Shônagon. (Imagino que ela potencialmente começou com o primeiro gesto da escrita, o primeiro risco na pedra, a duplicação do mundo a partir do nosso olhar exclusivo, mas aí apenas potencialmente – é preciso um certo conceito de indivíduo que decorre de condições culturais e sociais bastante específicas.)

Parece-me claro que o fato de a autoficção hoje se definir praticamente como um gênero específico da literatura romanesca faz dela um fenômeno relevante que merece atenção crítica. Mas não uma crítica moral. Em vez de amaldiçoar o gênero – como se a culpa de um mau soneto estivesse no limite dos quatorze versos e não no poeta que os escreve –, é preciso pensar, mais uma vez, na inescapável relação entre sociedade e literatura. A eventual incidência de obras autocentradas na figura do escritor seria reflexo da gigantesca revolução cultural deflagrada pelo advento da internet e do império da comunicação digital, que afeta não apenas a literatura, mas todo o sistema de representação e exposição pessoal num tempo em que a mínima sombra de hierarquia valorativa já soa como sinônimo de repressão ou preconceito. Assim, procuradores da República com páginas no Facebook, juízes expondo fotos pessoais e jovens escritores escancarando a própria vida em público seriam faces de um mesmo fenômeno de cultura coletiva, de uma nova geração já formada sob o império digital, e não uma exclusividade do sempre restrito mundo das letras.

O movimento que há cinco séculos colocava o indivíduo e a vida pessoal no centro de referência valorativa da cultura, como vimos em Montaigne, parece reaparecer hoje, por força da extraordinária liberdade digital. Os mais conservadores poderão lamentar que, no autocentramento renascentista, havia pelo menos a poderosa âncora dos clássicos a contrabalançar uma eventual volúpia narcísica. É possível. Parece que, hoje, as palavras de Auerbach ressoam mais e mais nossas contemporâneas: "A única coisa que o interessava profundamente era a sua própria pessoa e a sua própria vida". Para nos defender, basta apostar no filtro implacável da literatura e no poder de sua depuração. Desde sempre, qualquer que seja o gênero assumido, a sua força tem sido justamente a de nos arrancar de nossos próprios limites, mesmo quando o tema somos nós mesmos — escrever será sempre duplicar o mundo para torná-lo mais habitável.

literatura
e
biografia

Conferência apresentada no XI Congresso
Internacional da ABRALIC — Tessituras,
Interações, Convergências, na USP, em São
Paulo, em 16 de julho de 2008

1

Em uma de suas mais famosas brincadeiras ficcionais – à primeira vista apenas um jogo de salão da inteligência literária, mas que acaba por se revelar uma espécie de fábula sobre os limites da representação formal –, Borges inventa um certo *Pierre Menard, autor do Quixote*.[19] O conto é uma sequência avassaladora de paródias, narrada por uma consciência crítica que é, da primeira à última linha, um alinhavo de chavões e lugares-comuns sintáticos e semânticos – e ideológicos também, no sentido de que são frases que congelam sistemas de valores sociais. Sobre cada uma das palavras sentimos o brilho falso, ou duplo, da paródia. Nada escapa a essa duplicidade. Pierre Menard, objeto

[19] BORGES, Jorge Luis. *Ficções*. São Paulo: Globo, 2001, p. 53-63.

do texto, não existe, como também não existe o autor do texto (isto é, não Borges pessoa física, mas a voz que se constrói de um modo tão profundamente familiar a um leitor do gênero, uma voz que desde o primeiro momento já se coloca como alguém solidamente instalado no mundo moral, social, ético e estético) –, mas ambos se comportam, digamos assim, como se existissem, e é essa ilusão que sustenta a leitura e lhe dá significado.

Trata-se, é claro, de uma ilusão de segundo grau; é preciso que o leitor tenha um nível de conhecimento da história literária e de suas convenções razoavelmente sofisticado para reconhecer, nas palavras do texto, um "conto", uma livre invenção ficcional estabelecida como um gênero reconhecível por meio de um conjunto de formas que, de comum acordo, indicam que estamos num terreno familiar chamado "literatura". E, uma vez instalados solidamente nesse terreno, um outro leque de leituras se abre quase que ao infinito – e não é impossível que um leitor eventual, depois de duas ou três leituras, estabeleça enfim que não leu propriamente uma obra de ficção, mas um ensaio literário de Borges, servindo aquele arcabouço irônico apenas de gancho para verdades maiores, ou pelo menos para algum eixo de valor de referência fixa, digamos assim, uma "âncora", como os economistas costumam dizer de uma moeda que sirva como "realidade" primeira para todas as outras moedas.

Sim, nada impede que leiamos *Pierre Menard, autor do Quixote* como um ensaio, e não como ficção; mas, para que não caíssemos num solipsismo um tanto exagerado que estabelecesse a liberdade total das leituras e do leitor, uma utopia em que um texto fosse apenas o ponto de partida da *nossa realidade* e não de uma certa *comunhão* de realidades (como se o mundo das palavras fosse um território de niilismo semântico), seria preciso que esse modelo de paródia acabasse por se institucionalizar como uma das formas do ensaio. Feito esse acordo, as coisas já não pareceriam tão arbitrárias, e teríamos aquela "moeda fixa" para servir de referência. Penso, entretanto, que não é esse o caso – pelo menos não ainda. E que *Pierre Menard*, do ponto de vista formal, é uma colcha ficcional de apropriação de linguagens culturais solidamente estabelecidas no nosso mundo literário capazes de colocá-lo na gaveta – e os gêneros são, gostemos ou não da ideia, gavetas socialmente estabelecidas – da ficção, ainda que empregando, do começo ao fim, em cada uma de suas nuances, a linguagem já profundamente sedimentada da crítica e do ensaio literários.

Por que *Pierre Menard* não é, então, um ensaio, se todas as suas formas são as do ensaio? Sim, todas as formas – o sotaque, o ritmo, as nuances, o léxico, os chavões, os achados, a divisão em parágrafos, as perguntas retóricas, os parênteses e os apostos, as notas de rodapé, a abundância de nomes "reais" a dar liga, carne e consistência a *Pierre Menard*, começando com Homero e chegando a Joyce –, rigorosamente tudo no texto foi tirado da gaveta do ensaio. E, no entanto, um sorriso vai se instalando no rosto do leitor letrado já na primeira página, porque falta àquele conjunto de formas tão nossas conhecidas uma mínima "âncora", aquela moeda de valor mais ou menos fixo e com relação à qual damos valores às outras moedas que circulam em torno. Sem esse mínimo eixo que nos instale no mundo que tão orgulhosamente chamamos de "realidade", todo o universo dos sentidos que as palavras do texto nos provocam vão resvalar inapelavelmente no escorregador da ironia e da paródia. Num primeiro momento, poderíamos dizer que falta ao texto (e "falta" aqui é um conceito apenas aritmético) uma única "voz séria" (talvez um outro nome que se possa dar à nossa âncora semântico-ideológica).

Nesse terreno difuso, podemos chamar de âncora, ou "voz séria", aquela linguagem que se assume sem refração imediata entre o texto e o leitor – mais ou menos, para dar um exemplo simplório – como esta que agora vos fala. Neste texto que vai se fazendo agora, durante a presente leitura, há como que um pressuposto tácito, um acordo entre falante e ouvinte, ou escrita e leitor, que o autor biográfico (isto é, a pessoa física), e o narrador (isto é, o conjunto de formas sintático-semânticas que criam uma voz e uma rede fechada de significações na unidade única da escrita), são intencionalmente os mesmos.

Um pequeno parêntese: sabemos todos com alguma familiaridade com a máquina da linguagem que eles jamais são, tecnicamente e para todos os efeitos, os mesmos, até porque o autor biográfico participa do evento aberto da vida e não está submetido, portanto, à ideia de unidade temática e estrutural (ele não tem a dádiva de um "autor" que lhe dê sentido de fora – exceto Deus, que, momentaneamente, não nos ajuda muito); ele não é um objeto – é um sujeito; ao contrário do narrador, o autor biográfico não sabe o que vai acontecer amanhã; já o narrador é uma voz de artifício que só pode existir sob moldura, isto é, começo, meio e fim. O narrador, assim que se instala e diz o que tem a dizer, destaca-se para sempre de seu criador, o autor biográfico, e passa a viver no mundo relativamente autônomo dos textos. O narrador já não deve obrigações ao autor biográfico – ele sai do evento aberto da vida de onde ele nasceu para o mundo paralelo do texto, o mundo sob representação, uma espécie de mapa que se desenha entre as coisas reais e os nossos olhos para que, enfim, possamos ver alguma coisa "real". Num certo sentido, o texto é sempre a sombra que se projeta na caverna de Platão. Uma sombra muito precária, mas é o que temos, porque já há um bom tempo, para a nossa consciência moderna, as coisas do mundo não falam mais por si sós como costumava acontecer nos bons tempos, digamos assim. Tudo precisa de intérprete.

Feita essa importante ressalva – isto é, a impossibilidade essencial de autor biográfico e narrador (este entendido genericamente como qualquer conjunto de formas sintático-semânticas que criam a voz unitária de um objeto textual) serem as mesmas entidades –, temos então de lançar mão de outros recursos para estabelecer diferenças. Ou, mais precisamente, *graus de distância* entre um e outro. O que temos de pensar, no caso do nosso primeiro exemplo, é o grau de distância entre Borges ele mesmo e Pierre Menard. Não é uma tarefa simples ou fácil. E é exatamente com essa espécie de beco sem saída da representação que o narrador de Pierre Menard, autor do Quixote brinca.

O ponto central é o paradoxo irônico de alguém que simplesmente copia o texto de Dom Quixote e o apresenta como seu. O elogio do plágio, entretanto, seria pouco para sustentar a narrativa – apenas uma anedota. Mas o narrador vai adiante, buscando demonstrar sua tese de que o texto de Menard é muito superior ao de Cervantes. Relembrando:

> Constitui uma revelação cotejar o *Dom Quixote* de Menard com o de Cervantes. Este, por exemplo, escreveu (*Dom Quixote*, primeira parte, nono capítulo):
> ...*a verdade, cuja mãe é a história, êmula do tempo, depósito das ações, testemunha do passado, exemplo e aviso do presente, advertência do futuro.*

Redigida no século XVII, redigida pelo "engenho leigo" Cervantes, essa enumeração é mero elogio retórico da história. Menard, em compensação, escreve:

...a verdade, cuja mãe é a história, êmula do tempo, depósito das ações, testemunha do passado, exemplo e aviso do presente, advertência do futuro.

A história, *mãe* da verdade; a ideia é assombrosa. Menard, contemporâneo de William James, não define a história como indagação da realidade, mas como sua origem. A verdade histórica, para ele, não é o que aconteceu; é o que julgamos o que aconteceu. As cláusulas finais – *exemplo e aviso do presente, advertência do futuro* – são descaradamente pragmáticas.

Também é vívido o contraste dos estilos. O estilo arcaizante de Menard – no fundo estrangeiro – padece de alguma afetação. Não assim o do precursor, que emprega com desenvoltura o espanhol corrente de sua época.[20]

O trecho é uma delícia de maneirismo, humor e ironia. Ao mesmo tempo – e esse é o seu charme adicional – põe a nu os processos voláteis de significação e interpretação, deslocando completamente para o leitor a decisão dos sentidos que as palavras provocam. Diante do olhar de Pierre Menard, o texto indefeso parece aceitar qualquer interpretação. Assim, aparentemente, a qualquer coisa que se diga a respeito do conto de Borges pode-se sempre acrescentar uma nova nuance ou interpretação, porque a narração apresenta-se desprovida de "âncora". Num primeiro momento, não sabemos exatamente de que ponto, de que eixo, de que referência o texto nos fala, e essa incerteza terrível parece ser, por equívoco, a responsável pela ideia niilista que cor-

20 Ibid., p. 62.

re por baixo do pós-modernismo radical, aquele que não se contenta em desmontar somente a barraca das formas e quer também detonar a dos valores. Seria como entender o conto de Borges como um ideário, como a defesa de uma estética, confundindo autor biográfico e narrador.

Dissemos falta de âncora, mas não é exatamente verdade. Num momento nítido, logo ao início, o narrador diz "onde está", e aqui a distância Borges-narrador se afirma inequivocamente; a partir dela, o texto ganha sua significação ficcional e sua relativização. Ao referir-se a certo jornal "cuja tendência protestante não é segredo", e desfazer da qualidade de seus "deploráveis leitores", aliás "poucos e calvinistas, quando não maçons e circuncisos", entramos num eixo ideológico de valores em que a única leitura possível é a refratada. Em outras palavras: esse não é Borges falando. Aqui se estabelece uma firme moldura em que o autor não se confunde com o narrador, e essa distância dá, ao leitor, a medida irônica do texto. Em outro momento essa distância pode ser menor, mas jamais suprimida. A mesquinharia da observação sobre o jornal, principalmente por revelar o escancarado preconceito católico antiprotestante e antijudeu, é, digamos, inegociável para o mundo da cultura letrada ocidental moderna (um complexo conjunto de valores estético-sociais determinante para estabelecer a qualidade literária de Borges), e delimita para sempre aquele narrador como "um outro".

Claro, estamos tentando ver as coisas do modo mais formalista possível, para tentar chegar ao seu limite interpretativo. Em outras palavras, procuramos responder à questão proposta pelo conto de Borges: o que faz a diferença entre escrever "a verdade, cuja mãe é a história, êmula do tempo" e escrever "a verdade, cuja mãe é a história, êmula do tempo", e então decidir, como o analista de

Pierre Menard, o que quer dizer uma forma e outra forma. Por exemplo: se uma é de um texto biográfico, e outra de um texto ficcional. Ou, para dar um exemplo mais prosaico, decidir se a frase que eu eventualmente leia – por exemplo, "Nasci no dia 21 de agosto de 1962" – é uma afirmação biográfica ou ficcional.

2

Vamos passar agora a um outro exemplo, agora atualíssimo, de larga circulação – o best-seller *O mago*, de Fernando Morais.[21] Trata-se da biografia de Paulo Coelho, o homem que mais vendeu livros na era moderna, e um dos cinco ou seis maiores best-sellers da história. O subtítulo do livro é *A extraordinária história do escritor Paulo Coelho*.

Apesar da expressão "extraordinária história" sugerir, quem sabe, um toque ficcional, o texto é inequivocamente uma biografia. A primeira âncora, que liga inextricavelmente narrador e leitor, é o incontornável (mas sempre, nós sabemos, mais ou menos inapreensível em todos os seus contornos) "império do mundo dos fatos". Também temos, como em qualquer texto, um autor biográfico, Fernando Morais, que é parte inacabada do evento da vida e portanto é o "sujeito" do texto; e um "narrador", esse conjunto de formas com começo, meio e fim que constituem o livro chamado *O mago*. Pois bem, que relação o autor biográfico mantém com o narrador naquele gênero que se chama tecnicamente de "biografia", isto é, o relato objetivo dos fatos da vida de alguém?

No caso do texto de Borges, vimos que o autor biográfico, Borges, não concorda com o narrador em muitos pontos. Há uma distância estabelecida por princípio. Para definir com uma imagem a natureza dessa distância,

---

[21] MORAIS, Fernando. *O mago*. São Paulo: Planeta, 2008.

podemos recorrer à metáfora de Roberto Calasso: "A literatura jamais é coisa de um só sujeito. Os atores são, pelo menos, três: a mão que escreve, a voz que fala, o deus que vigia e impõe".[22] Deixemos mais uma vez Deus de lado, por ser tecnicamente insondável, e fiquemos nos dois atores principais – a mão que escreve e a voz que fala (que até aqui temos chamado de narrador). Pois bem, no texto literário, essas duas entidades assumem necessariamente *intenções diferentes*. Ou, mais precisamente, a voz que fala no texto tem um grau razoável de autonomia com relação à mão que escreve. Essa autonomia é de raiz semântico-ideológica – ela está firmemente implantada no mundo dos valores. Em algum ponto do mundo do autor-biográfico – a mão que escreve – está a âncora estável de valores com relação à qual a visão de mundo da voz que fala – o narrador – se situa. Podem se aproximar, eventualmente se tocar, mas o que dá perfil ao texto, o que o define como gênero, será sempre a marca da distância.

Pois bem, no caso da biografia, a intencionalidade da mão que escreve instala-se em cada palavra da voz que fala no texto, de uma forma completa e absoluta. Esse é um acordo de princípio estabelecido pela onipresença do "mundo dos fatos". E, de certa forma, é com relação a essa férrea disposição do autor do texto que julgamos a qualidade de uma biografia. Claro que há outros fatores importantes envolvidos e que podem mesmo tomar de empréstimo as categorias da teoria literária – podemos julgar uma biografia pelo estilo, pela clareza, pela força das metáforas, pelo peso da emoção, pela divisão em partes, pelo jogo de presente e de futuro, pelo brilho da linguagem, enfim; mas, se a representação do "mundo dos fatos" falha, nada sobrevive. Claro que "mundo dos fatos"

---

22 CALASSO, Roberto. *A literatura e os deuses*. São Paulo: Cia. das Letras, 2004. p. 136.

é uma expressão ampla demais, e toda biografia recorta, desse mundo que afinal é o evento histórico completo, o seu foco, o que interessa revelar (um breve período, uma época, a vida familiar, o aspecto político, etc.). Delimitada essa moldura, o império dos fatos deverá ser soberano. Ou, melhor dizendo, a intenção sincera de representá-lo, mesmo sabendo que essa é sempre uma tarefa de Sísifo.

Vamos direto a um exemplo. Num momento de *O mago*, em que Fernando Morais levanta a genealogia de Paulo Coelho, lemos o seguinte:

> A arqueologia começa com sua pentavó, Bárbara de Alencar, uma das raras lideranças femininas na luta pela independência do Brasil. Em 1817, cinco anos antes de o país se libertar do jugo português, ela proclamou a República do Brasil em pleno Crato, no extremo sul do Ceará. Presa, foi levada a Fortaleza com uma gargalheira de ferro no pescoço. O ódio dedicado pela Metrópole à revolucionária de 57 anos era tal que os portugueses conseguiram fazer sumir todos os vestígios de sua imagem. Para sempre: na estátua que a homenageia na capital cearense, Bárbara de Alencar é representada por uma mulher sem rosto.[23]

Temos aqui tipicamente uma intenção biográfica se realizando. O leitor assume que os fatos relatados são todos verdadeiros. Bárbara de Alencar não é Pierre Menard. É alguém de carne e osso que existiu de fato num momento da geografia e da história brasileiras. Note-se que cada uma dessas palavras, exatamente como estão escritas, poderia ser parte de um romance de aventuras – ainda mais porque pouquíssimos leitores poderiam dizer se o que está escrito aconteceu de fato ou se é invenção do autor. Mas o texto se apresenta como biografia; um pacto poderoso de

---

[23] MORAIS, op. cit., p. 65.

leitura se estabelece entre autor e leitor, cujo centro estaria na garantia de que o que se narra é, em qualquer caso, tentativa de representação fiel da realidade. Uma pequena parte é interpretação dos fatos – exemplo: suprimiram-se os vestígios de sua imagem *porque* a Metrópole a odiava –, mas isso, além de absolutamente inevitável, será sempre, também, a interpretação da mão que escreve, isto é, de Fernando Morais. Em suma, todas as opiniões emitidas no texto biográfico pelo seu narrador serão, intencionalmente, necessariamente e inescapavelmente, as opiniões do autor do texto. Assim, há no texto biográfico o mesmo pacto que normalmente se assume com as palavras encontrável nos textos de ciência, que podemos chamar de "pressuposição de verdade", entendendo-se "verdade" no seu sentido mais chão, comezinho e comum, desprovido de qualquer metáfora. Esse sentido primeiro, elementar, acessível a uma criança, da palavra "verdade" é suficiente aqui para definir a relação entre um autor de uma biografia e o seu texto.

Satisfeito com a leitura do texto de Fernando Morais, o leitor irá adiante e encontrará na mesma página o seguinte trecho:

> Não bastasse ela própria encarnar uma heroína que parece saída das páginas de um romance de aventuras, Bárbara viria a ser a avó paterna de José de Alencar, um dos mais respeitados e populares romancistas brasileiros e tio-trisavô de Paulo Coelho. Fundador, junto com Machado de Assis, da Academia Brasileira de Letras, Alencar foi seu primeiro, mas não o único, ancestral a envergar o fardão verde-oliva da ABL. Nos primeiros anos da instituição, dois seus tios-bisavós haviam alcançado a imortalidade: o crítico literário Tristão de Alencar Araripe Júnior e o poeta Mário Cochrane de Alencar, filho de José de Alencar, que sucedeu a José

do Patrocínio na cadeira número 21 – a mesma que Paulo viria a ocupar muitas décadas depois.[24]

Aqui este leitor embatucou. Ora, no mundo dos fatos, José de Alencar morreu em 12 de dezembro de 1877, vinte anos antes da fundação da Academia Brasileira de Letras, que só ocorrerá em 1897, e portanto jamais poderia ter fundado a instituição junto com Machado ou envergado o célebre fardão. Como Paulo Coelho não é Pierre Menard, e como o pacto biográfico está aceso na cabeça do leitor, o texto aqui sofre um solavanco irremediável. Não há nenhuma hipótese que consiga transformar esse parágrafo numa peça de ficção – é apenas no "mundo dos fatos" que ele pode ser discutido. O interessante é que a reação ao erro factual tem uma natureza não estética – isto é, não reclamamos do fato do livro estar mal escrito, ou a linguagem ser deselegante, ou a narração ser inverossímil, ou com qualquer outra categoria de análise estético-ficcional. Nossa reclamação tem um espírito de "carta para a redação", de esclarecimento, de pedido de errata – nossa reclamação é indiscutível; não admite contrapartida. E afeta apenas pontualmente o livro lido. Erros factuais acontecem, e sobre eles ninguém costuma discutir, sequer o autor, que reconhecerá o erro e reescreverá o texto de acordo com a "verdade" (a não ser, é claro, que se trate de fato polêmico, de dupla interpretação, em que o autor defenda um ponto de vista sobre outro – mas, em qualquer caso, a referência absoluta é a "pressuposição de verdade").

3

Temos aqui, portanto, dois extremos. Numa das pontas, o texto de pura ficção, pura literatura; e na outra, o

---

24 Ibid., p. 65.

texto puramente biográfico. São duas intencionalidades diferentes e marcantes.

É preciso frisar de passagem que esses dois textos não são simplesmente duas manifestações da mesma matéria-prima formal – do modo, por exemplo, que um terceto se diferencia de uma quadra, ou um conto de uma crônica. A literatura, ou mais precisamente a prosa de ficção, é sempre uma espécie de "sobregênero", em que apenas alguns traços convencionais seriam realmente próprios, isto é, aquelas formas que só podem ser usadas literariamente, ou que pelo menos somente na literatura ganham algum sentido.[25] A literatura sobrevoa todos os gêneros da palavra, todos os seus usos, da oralidade mais espontânea à mais rigorosa das escrituras públicas de cartório; onde quer que a linguagem circule, a literatura observa, à espreita, para lhe dar o bote e transformá-la em outra substância, pronta para ser lida mais uma vez com um sentido que em todos os casos estará ausente de seu uso original. Enfim, vista da perspectiva técnica, a literatura é o exercício de um plágio formal de gêneros já solidamente constituídos na vida real da linguagem. Veja-se esse momento do Pierre Menard de Borges:

> Dois textos de valor desigual inspiraram a ideia. Um é aquele fragmento filológico de Novalis – o que leva o número 2005 na edição de Dresden – que esboça o tema da *total identificação* com um autor determinado.[26]

Esse trecho pertence rigorosamente, em cada uma de suas palavras, até mesmo no emprego do itálico em "total identificação", ao gênero do ensaio crítico. Tomando-se a frase na sua forma isolada, é um enunciado de natureza

---

25 A rigor, não é fácil encontrar formas "puramente literárias" – na prosa, é possível que elas não existam.
26 BORGES, op. cit., p. 56.

crítico-ensaística. Se há que se buscar alguma literariedade nele não será nos mecanismos do código em si. De certo modo, o texto literário sempre "comenta" um outro gênero que lhe serve de base; funciona como um "parasita" da linguagem alheia; coloca uma *intenção adicional* à intenção, digamos, "natural" de uma forma linguística. Em *Pierre Menard, autor do Quixote*, a linguagem do ensaio serve de arcabouço para a literatura – ela dá ao texto de Borges todas as suas marcas estilísticas, sobre as quais Borges instila outra intenção.

Já o texto biográfico constitui, em si, um gênero autossuficiente – ele quer dizer precisamente o que diz. É como se, na biografia, a linguagem estivesse vivendo sua "vida real". Há um pacto de entendimento que afirma que todas as palavras da biografia refletem diretamente a intenção do biógrafo; a mão que escreve e a voz que conta são, digamos, as mesmas, pelo menos na sua intencionalidade. O autor que escreve concorda por inteiro com cada uma das palavras da voz que narra. E se não concorda – como certamente vai ocorrer com o trecho de *O mago* que põe Machado e Alencar como fundadores da Academia Brasileira de Letras –, assim que alguém apontar a Fernando Morais o equívoco factual, o autor imediatamente retificará suas palavras, de modo que a afirmação escrita pelo "narrador" coincida, no mundo dos fatos, com as afirmações do "autor biográfico".

Vimos os extremos. Entretanto, há um grande número de textos ficcionais que podem ser enquadrados numa categoria intermediária; textos que, lidos, evocam na cabeça do leitor a ideia de "biografia", ou, como algumas editoras costumam colocar em tarjas chamativas nas capas dos livros, evocam a ideia de "história verdadeira". (Eu mesmo já fui vítima dessa estratégia; a edição italiana do meu romance *O filho eterno*, que acaba de sair com o título de *Bambino per sempre*, traz a informação no alto – "una storia vera").

Há vários aspectos a ser discutidos sobre esse selo de "fato verdadeiro" aposto a obras que se querem de ficção, que se articulam como romances ou novelas. Obviamente, as editoras não forçariam a barra se não houvesse um certo consenso popular de que um "fato verdadeiro" tem um status superior à pura ficção. O leitor ingênuo, ou pouco letrado (se eu não estiver aqui manifestando simplesmente um preconceito), valoriza mais o que é "verdade" em detrimento do que seriam "invencionices". Afinal, a verdadeira ficção é feita de invencionices; e o fato de que a narração literária desprendeu-se definitivamente de sua "obrigação de verdade" é um dos toques fundamentais da modernidade. Mas best-sellers como *O código da Vinci*, por exemplo, ganham mais leitores à medida que parecem se fundamentar em fatos reais da história. Em suma, o status de "narração verdadeira" valoriza a obra. Há como que uma ideia atávica, milenar, de que a palavra escrita tem um compromisso com a verdade; que o seu valor está na razão direta de seu compromisso com a "realidade", entendida aqui como seu espelho imediato.

Isso explicaria em parte por que, em todo o mundo, as obras de não ficção têm muito mais público que as obras de ficção; e basta contemplar uma estante de novidades de uma livraria, o seu espaço nobre, para perceber que a literatura – como nós entendemos literatura, a grande literatura – nunca esteve tão ausente. E isso não é um fenômeno restrito ao Brasil – ocorre no mundo inteiro.[27] Ao mesmo tempo, curiosamente, com frequência

---

27 No caso do Brasil, é bom lembrar que houve nos últimos anos um aumento da base de leitores constituído de uma faixa social que há pouco tempo não tinha praticamente acesso aos livros; e sua preferência, obviamente, não é a mesma daquela típica (e estreita) faixa de leitores da classe média urbana e letrada, historicamente sedimentada como o típico público consumidor de "literatura".

veem-se relatos de ciência, de história, de economia, de qualquer tema eventualmente árido com uma observação tranquilizadora na orelha: "lê-se como se fosse um romance". O leitor "médio", essa abstração entre aspas, quer o melhor dos dois mundos – a precisão da ciência e a linguagem da fantasia. Naturalmente, esse é um outro problema, de natureza sócio-cultural, com implicações econômicas e históricas que por si só valem um estudo. De qualquer forma, é interessante perceber aqui a alimentação mútua dos gêneros, digamos assim, em que intenções claramente distintas apropriam-se de marcas formais alheias, que, em qualquer caso, estão sempre a serviço da intenção primeira, básica, definidora do texto. Vamos pensar em *Os sertões*, de Euclides da Cunha. É claramente um livro de historiografia e de ciência, mas há algo no leitor de sempre que resiste a ver na obra apenas isso. Os traços literários da obra – alguns deles, é verdade, mais ou menos típicos de uma ciência altissonante, que tomava a retórica de empréstimo à literatura para frisar enfaticamente sua verdade – dão-lhe uma vitalidade romanesca que a pura ciência ou a pura história não sustentariam. Mas, apesar disso, o gênero ensaístico é rigorosamente o dominante, a sua marca primeira e fundamental; Euclides da Cunha "coincide" com as palavras do narrador de seu livro tanto nos fatos da história brasileira que relata quanto nas conclusões científicas que tira ao analisar a Guerra de Canudos. Mas, se abrimos *A guerra do fim do mundo*, de Vargas Llosa, um livro por princípio fundamentado na realidade factual de Canudos, a distância entre "a mão que escreve e a voz que narra" é notável.

Vejamos, na prática, um exemplo de gênero que poderia ser enquadrado como "intermediário" – o maravilhoso *Memórias do cárcere*, de Graciliano Ramos. Assim começa o texto:

> Resolvo-me a contar, depois de muita hesitação, casos passados há dez anos – e, antes de começar, digo os motivos pelos quais silenciei e por que me decido. Não conservo notas; algumas que tomei foram inutilizadas, e assim, com o decorrer do tempo, iame parecendo cada vez mais difícil, quase impossível, redigir esta narrativa. Além disso, julgando a matéria superior às minhas forças, esperei que outros mais aptos se ocupassem dela. Não vai aqui falsa modéstia, como adiante se verá. Também me afligiu a ideia de jogar no papel criaturas vivas, sem disfarces, com os nomes que têm no registro civil. Repugnava-me deformá-las, dar-lhes pseudônimo, fazer do livro uma espécie de romance, mas teria eu o direito de utilizá-las em história presumivelmente verdadeira? Que diriam elas se se vissem impressas, realizando atos esquecidos, repetindo palavras contestáveis e obliteradas?[28]

A introdução diz basicamente a "verdade" – que se trata de um texto que vai relatar fatos acontecidos há dez anos, que ele não conservou notas, mas que de qualquer forma repugnava-lhe a ideia de escrever "uma espécie de romance", dando pseudônimo a pessoas reais. E a história é "presumivelmente verdadeira". Há uma pesada dose de subjetividade na linguagem do texto, a marca da sintaxe a um tempo cristalina e relutante de Graciliano, esse esforço de precisão que tem um efeito paradoxalmente contrário, como se cada detalhe que ele iluminasse para maior clareza da realidade abrisse ao mesmo tempo um sobretom difuso e confessasse o seu fracasso. Mas não importa aqui o seu "fracasso" diante do real, digamos assim; como constituição do texto, o pacto biográfico se mantém intacto.

---

28 RAMOS, Graciliano. *Memórias do cárcere*. 44ª ed, Rio de Janeiro: Record, 2008, p. 11.

E Graciliano não nos esconde as limitações de seu olhar; pelo contrário, faz questão de frisá-las até a última estima. Ao dizer que não tem mais os apontamentos em que trazia anotado o fruto de sua observação, pergunta-se:

> Certamente irão me fazer falta, mas terá sido uma perda irreparável? Quase me inclino a supor que foi bom privar-me desse material. Se ele existisse, ver-me-ia propenso a consultá-lo a cada instante, mortificar-me-ia por dizer com rigor a hora exata de uma partida, quantas demoradas tristezas se aqueciam ao sol pálido, em manhã de bruma, a cor das folhas que tombavam das árvores, num pátio branco, a forma dos montes verdes, tintos de luz, frases autênticas, gestos, gritos, gemidos. Mas que significa isso? Essas coisas verdadeiras podem não ser verossímeis. (...) Afirmarei que sejam absolutamente exatas? Leviandade. (...) Onde estará o erro? Nesta reconstituição de fatos velhos, neste esmiuçamento, exponho o que notei, o que julgo ter notado. Outros devem possuir lembranças diversas. Não as contesto, mas espero que não recusem as minhas: conjugam-se, completam-se e me dão hoje impressão de realidade.[29]

Esse trecho é em si uma breve e sólida teoria da linguagem biográfica em contraposição à linguagem ficcional. Graciliano expõe todos os pressupostos que, desde o primeiro momento, conspirarão contra a sua representação da realidade, mas em nenhum momento abdica dessa pretensão, mesmo que o destino final de todas as suas palavras seja uma "impressão de realidade". Narrar a própria história significa falar em primeira pessoa – e também esse detalhe merece comentário:

> Desgosta-me usar a primeira pessoa. Se se tratasse de ficção, bem: fala um sujeito mais ou menos imaginário; fora daí é desagradá-

[29] Ibid., p. 14.

vel adotar o pronomezinho irritante, embora se façam malabarismos por evitá-lo. Desculpo-me alegando que ele me facilita a narração.[30]

O "desgosta-me usar a primeira pessoa" é uma manifestação direta da verdade de Graciliano; e separa as águas, ao decidir que não se trata de "ficção"; nesta, "fala um sujeito mais ou menos imaginário". A expressão é de uma simplicidade exata: "um sujeito mais ou menos imaginário" é aquele que fala na ficção. Não é o caso dele.

Nessa régua arbitrária que criamos, entre a pura ficção e a pura biografia, as memórias de Graciliano inclinam-se para a pura biografia, mas temperam-se pela subjetividade, pela eventualidade de erros factuais, pela aceitação das incertezas da lembrança, pela intenção antes memorialística que historiográfica – mas, de qualquer modo, ele recusa-se a pôr o pé na ficção e deixa isso perfeitamente claro ao leitor. Ainda aqui, a mão que escreve não se afasta da voz que narra.

Vejamos agora um outro caso, muito frequente no universo da literatura romanesca – aquele em que há uma abundância de fatos reais, em que o peso do que é "verídico" é muito forte e, no entanto, a obra se inclina poderosamente para o registro da ficção. É exatamente o caso de um exemplo clássico, *Recordações da casa dos mortos*, de Dostoiévski.[31] O escritor russo foi preso e condenado à morte, teve a pena comutada pelo czar no último minuto e passou cinco anos na Sibéria, de onde saiu em 1854. Uma experiência absolutamente marcante, desde as circunstâncias da comutação da pena, já na praça onde seria fuzilado, até a penosa resistência junto a criminosos comuns longe de tudo e de todos. Pois bem, *Recordações da casa dos mortos* é um texto que relata as aventu-

---

30 Ibid., p. 15.
31 DOSTOIÉVSKI, Fiódor. *Recordações da casa dos mortos*. Rio de Janeiro: José Olympio Editora, 1956.

ras e desventuras de um condenado na Sibéria. É claro que o peso da experiência pessoal seria absoluto em qualquer relato desta natureza – e pode-se dizer que praticamente toda a obra posterior de Dostoiévski trará as marcas desse período sombrio de sua vida.

Mas, ao contrário de Graciliano, que obstinadamente marca sua intenção biográfica, mesmo considerando tudo que possa conspirar contra ela a partir da pouca precisão documental, escravo que era apenas de sua memória, Dostoiévski decide-se pelo *romance*, pela estrutura da ficção, para contar a história, e para tanto usa recursos típicos, convencionais, da literatura. Ele firma um pacto ficcional com o leitor. É possível que tenha pesado em sua decisão o fato de que não era fácil passar pela censura czarista naquele período terrível, ainda mais considerando que se tratava de uma obra escrita por um condenado por conspirar contra o Estado.[32] No caso dele, o "pacto biográfico" entre a mão que escreve e a voz que narra, e de ambos com o leitor, estaria assim vedado. Mas a forma "romance" já é em si um bom álibi para se chegar à realidade por caminhos tortos; e no século 19 era particularmente um recurso poderoso, de certa forma o gênero que se transformou na principal arena de discussão de todos os grandes temas das humanidades que haveriam de mudar as concepções filosóficas na virada do século 20.

Mas, independentemente dessas considerações paralelas, o fato que permanece é que Dostoiévski escreveu "ficção"; articulou o seu texto da primeira à última página sobre o pressuposto da ficção; firmou o pacto com seu leitor na perspectiva da literatura e não da biografia. A mão

---

[32] Uma ampla discussão do período siberiano na vida do escritor pode ser lida na monumental biografia crítica escrita por Joseph Frank, particularmente no segundo volume – *Dostoiévski: os anos de provação* (1850-1859), (São Paulo: Edusp, 1999).

que escreve e a voz que narra são almas inescapavelmente separadas. E as convenções narrativas típicas do gênero – como a introdução que apresenta Alexandre Petrovitch pela voz de um editor, o qual recolhe, após sua morte, os papéis que deixou – não são apenas convenções superficiais de pouca relevância; são de fato elementos cruciais da narração; marcam a distância entre o autor biográfico e o narrador do texto, em dupla refração (a voz do editor e a voz do personagem central). Veja-se:

> Apanhei os papéis e passei um dia inteiro em casa, ordenando-os. (...) Enfim descobri um caderno volumoso, coberto por uma caligrafia fina; estava, porém, inacabado, abandonado decerto por seu autor; era a narrativa de seus dez anos de presídio. Nessa narrativa incompleta se intercalavam fragmentos estranhos, recordações abomináveis evocadas desordenadamente, convulsivamente, como num desabafo.[33]

É fato que grande parte das recordações são de cunho biográfico, obviamente apreendidas durante a dura convivência de Dostoiévski com os criminosos comuns. Uma das mais notáveis, que marcará a sensibilidade de Dostoiévski, era o caso real de um suposto parricida que passou anos preso sem jamais confessar o crime; depois, descobriu-se o verdadeiro assassino de seu pai – o prisioneiro provou-se de fato inocente. Mas não importa – nenhum desses casos reais entram no livro como tal, como "fatos reais", em contraposição a "fatos ficcionais". Para o narrador, tudo é "fato real"; sob o código convencional da ficção, na moldura com começo, meio e fim em que o livro circunscreve-se, o estatuto da realidade é completamente irrelevante como constituição do sentido do texto. O

---

[33] DOSTOIÉVSKI, op. cit., p. 33.

pacto narrativo se faz marcando em cada linha a distância regulamentar da mão que escreve e da voz que narra.

Assim, o elemento factual, ao entrar na moldura da ficção, perde o seu estatuto de realidade, a sua âncora diferencial, e passa a pertencer à família dos elementos ficcionais com exatamente o mesmo status; a cidade verdadeira e a cidade imaginária que por acaso apareçam num capítulo são ambas cidades ficcionais para os fins da representação romanesca do mundo. Já na biografia, como vimos, o elemento factual, a realidade, a verdade, qualquer nome que se dê à intenção inalienável de representar fielmente os fatos do mundo concreto é de fato o seu eixo regulador absoluto. Na biografia, autor e narrador coincidem ao estabelecer o elemento factual como o centro do texto. Por essa razão, Machado de Assis e José de Alencar, numa biografia qualquer, jamais poderiam ambos vestir o fardão da Academia, porque há um dado absolutamente incontornável a impedi-los, que imaginação nenhuma poderá suprir sem destruir a intenção do narrador e, portanto, a integridade de seu texto. Já na ficção, pelo seu estatuto primeiro, um mundo possível se organiza à margem do real, e a condição de elementos factuais e elementos imaginários é aqui irrelevante – todos estão no mesmo nível e pertencem igualmente à outra ordem de representação. No mundo da linguagem, tudo é relativo, é verdade – mas desde que tenhamos um eixo de referência, a nossa âncora, a partir da qual o mundo ganha desenho, valor e escala. Sem ela, nenhum sentido se estabelece. E os sentidos da literatura e da biografia se fundam em âncoras distintas.

4
Propositalmente não separei aqui biografia de autobiografia, que entendo como distinções puramente te-

máticas. Do ponto de vista da apropriação da linguagem, ambos os gêneros têm por princípio a mesma âncora no elemento factual, que é incontornável, ainda que a autobiografia dê uma margem larguíssima de voo subjetivo; digamos que, nela, o autor tem acesso direto à subjetividade do retratado de um modo e com uma intensidade que um simples biógrafo jamais terá. De qualquer forma, mesmo assim, e talvez justamente por isso, o pacto entre a mão que escreve e a voz que narra é ainda mais absolutamente indissociável.

Sabemos que um grande número de obras têm a marca "biográfica" – há mesmo um subgênero do romance que costumamos chamar de "romance autobiográfico". A rigor, não há praticamente autor nenhum que em algum momento não tenha usado literariamente elementos reais de sua própria vida, com mais ou menos exatidão factual. O próprio fato da prosa romanesca ter um pé firmemente instalado no mundo das linguagens sociais concretas, de seus usos genéricos e estilizados, e de colocar no centro de sua intenção sempre um forte grau de representação mimética da realidade, de mundo paralelo, porém não completamente arbitrário, favorece esse traço. Assim, a vida do autor acabará sempre por deixar algum rastro em sua representação romanesca. Claro que há uma imensa gradação aí, uma fusão de fronteiras e de limites que pode ir da maior distância biográfica, a criação mais destacada e mais longínqua do mundo factual, até praticamente o relato "fiel" de uma vida, ou da própria vida do escritor, com "coincidências" brutais, às vezes de datas, nomes, locais, quase como que um mapa de Borges reproduzindo ele próprio a realidade em que se inspira.

Não importa – se o pacto que o texto estabelece é ficcional, a responsabilidade do fato em si (que é absolutamente central na biografia ela-mesma), pelo qual o autor responde (e responde até juridicamente, como sabemos), será inexistente ou, na melhor das hipóteses, irrelevante. A ficção é um modo particular de ver, descrever, compreender e interpretar o mundo que arranca a âncora de referência factual do mundo concreto (o chão que pisamos, o ar que respiramos) e a coloca no reino paralelo das possibilidades. Na ficção, o dado real descola-se de seu peso incontornável e se transforma também em imaginação – cães e dragões frequentam o mesmo reino e têm o mesmo valor de face. Essa é sua transcendência – nessas longas e elaboradas hipóteses a que nos entregamos na leitura, a condição humana é colocada à prova e testada em seus limites; para que, voltando ao mundo comezinho dos fatos, a dura realidade sem moldura em que vivemos soltos e livres, mas cujo fim sempre desconhecemos, possa ganhar alguma alternativa, alguns duplos invisíveis, mas poderosos, que nos iluminem e enriqueçam.

Este livro foi composto com as fontes Minion Pro e Montserrat e impresso na RR Donnelley, em papel pólen bold 90g, em junho de 2018.

LIVRARIA DUBLINENSE

A loja oficial da Dublinense, Não Editora e Terceiro Selo

livraria.dublinense.com.br